虛擬國境

李欣頻 著

李欣頻的第一本手繪地圖書

地球萬事萬物，在天堂都有理想的版本，其重要性並不在於它們是否真實存在，而在於我們無瑕的追求。

——柏拉圖

目次

作者簡介 006
自序 010

人
【人類・複數】
1 童話國 014
2 女人國 018
3 天體國 022
4 複製國 026
5 巫術國 030
6 死亡國 034

事
【事態・認同】
7 旅行國 040
8 偷窺國 046
9 電影國 050
10 慶典國 054
11 預言國 058

時
【時間・流亡】
12 音樂國 064
13 失眠國 068
14 詩人國 072
15 一小時國家 076

地

【地域・解構】

16 空間國 082
17 藝術國 086
18 飛行國 090
19 不夜國 094

物

【物件・例證】

20 圖書國 100
21 服裝國 106
22 SHOPPING國 112
23 巧克力國 116
24 寵物國 120

情

【情慾・機制】

25 憂鬱國 126
26 失戀國 132
27 食慾國 136
28 愛情國 140
29 情慾國 144
30 許願國 148
拉頁：
未來藝術村

作者簡介

李欣頻

政大廣告系畢業，政大廣告研究所碩士，北京大學新聞與傳播學院博士，曾任教於北京大學新聞與傳播學院，擔任《廣告策劃與創意》課程講師，並曾於北京中醫藥大學修習半年。並為收視率達三億之大陸旅遊衛視頻道《創意生活：土耳其、臺灣》特約外景主持人。

有著作家詩人的孤僻性格＋靈修者洞察深處的眼睛＋旅行者停不下來的身體＋廣告人的纖細敏感與美學癖＋知識佈道家想要世界更好的狂熱＋教育者捨我其誰的使命感。

曾任意識形態廣告公司文案、誠品書店特約文案。宏碁數位藝術中心特約文案創意。

台灣廣告作品

中興百貨、遠東百貨、誠品書店、誠品商場、宏碁數位藝術中心、富邦藝術基金會、台新銀行玫瑰卡、臺北藝術節、鶯歌陶瓷博物館、加利利旅行社、臺北市都市發展局、新聞處、統一企業集團形象廣告、飲冰室茶集、雅虎奇摩網路劇、台灣大哥大簡訊文學獎、公共電視形象廣告案……等。

大陸廣告作品

現代傳播集團《周末畫報》、《優家》、《iweekly》形象廣告案，西安音樂廳、汕頭大學圖書館、CA BRIDA、北京海文機構、上海大悅城開幕廣告等。

專欄

曾為聯合報、自由時報、廣告雜誌、香港ZIP雜誌、皇冠雜誌、TVBS週刊、ELLE雜誌、MEN'S UNO雜誌、大陸北京晚報、中國圖書商報、費加洛雜誌、女友、廣告大觀、城市畫報、嘉人雜誌、時尚健康、優家、職場……等之專欄作家。

任教資歷

台灣科技大學、中原大學、臺北大學、青輔會、成功大學、學學文創、誠品信義講堂、北京大學新聞與傳播學院……關於廣告、創意、創作、出版課程之講師。

台灣：太平洋SOGO、新光三越、AVEDA、衛生署中醫藥委員會、聯電、旺宏電子、德州儀器、統一企業、東森得意購、宏碁、民視、NOVA、康健雜誌、南山人壽、國家音樂廳、國家戲劇院、富邦講堂、誠品書店、數位學院、幼獅文藝寫作班、臺北市立圖書館、桃園巨蛋體育場、文建會公民美學講座、摩根富林明、十大傑出青年基金會、動腦講座、中國生產力中心、數位時代創意實踐講堂、北美館（台灣生活創意座談：誰來寫台灣設計品牌）、當代藝術館、臺北電影節、台灣大哥大、芝普、國貿學院經管策略管理將帥班……以及台大、政大等數十所大專院校之邀，公開對外演講或是公司員工內訓。

海外：獲邀至馬來西亞華人書展、新加坡、香港等地演講，中國書刊發行業協會主辦的書業觀察論壇、上海書城、上海圖書館、北京大學國際時尚管理高級研修班、北京聯合大學、北京民族大學、上海復旦大學、美國協和大學MBA中國中心、以及第二屆中國國際文化創意產業博覽會、北京798之AH創意沙龍、廈門32 SHOW創意院落、上海十樂、廣州城市畫報主辦之創意講堂、深圳人民大會堂、湘潭大講堂……等大陸各地講堂或創意產業園區中演講，並為中國第一娛樂互動門戶：貓撲網、招商銀行、淘寶網、中國電信、藍光、江蘇電視台、湖南衛視……進行企業培訓。

評審資歷

曾任北京青年週報換享創意競賽評審、二〇〇八年廣州日報盃華文報紙優秀廣告獎的決賽評審、全球最大學生創意競賽金犢獎決選評審、FRF「時尚拒絕皮草」藝術設計大獎決選評審、二〇〇九臺北電影獎媒體推薦獎評審、連續五屆台灣廣告流行語金句獎評審、二〇〇九年臺北電影節媒體推薦獎評審、誠品文案獎評審、南瀛獎動畫類評審、董氏基金會大學築夢計劃決選評審、中國時報文彩青年版指導作家、TWNIC第五屆網頁設計大賽決選評審委員、救國團「創意與創業全國」座談會與談人、金鐘獎評審委員。北京青年周報換享創意競賽評審、二〇〇八廣州日報杯華文報紙優秀廣告獎的決賽評審、全球最大學生創意競賽金犢獎決選評審。

廣告代言

SKII、香奈兒彩妝、PUMA旅行箱、Levis牛仔褲、NIKE、Aêsop馬拉喀什香水、OLAY、匯源果汁、三星手機等。並與《可可西里》導演陸川、大陸知名歌手郝菲爾共同獲選為二〇〇八年度Intel迅馳風尚大使。

散文作品被收錄於〈中華現代文學大系〉散文卷。文案作品被選入《台灣當代女性文選》。二〇〇九年金石堂書展選為不可錯過的八位作家之一。二〇一〇年統一企業主辦網路票選年輕人心目中最喜歡的十大作家之一。

二〇〇四年數位時代雜誌選為台灣百大創意人之一。天下遠見文化事業群之《30雜誌》二〇〇六年九月號，選為創意達人之一。二〇〇九年入選大陸年度時尚人物創意家。入圍二〇一三年中國作家富豪榜，同年獲得COSMO年度女性夢想大獎、講義雜誌年度最佳旅遊作家獎。

接受過兩岸各大媒體專訪，台灣：中國時報、聯合報、自由時報、蘋果日報、中天電視台、中視、民視、超視、飛碟電台、遠見雜誌等。大陸：新浪網、搜狐網、中國廣播電台、中央人民廣播電台、廣州電視台、上海電視台、北京新京報、北京青年週刊、城市畫報、國際廣告雜誌、上海新聞晨報、上海外灘畫報、天津日報、燕趙都市報……等近百家媒體採訪。

目前已經旅行包括全歐洲、東北非、杜拜、阿布達比、印度、東南亞、東北亞、南極、美洲、不丹……等五十多國。

李欣頻作品

《李欣頻的創意天龍8部》：

第一部：《十四堂人生創意課1：如何畫一張自己的生命藍圖》

第二部：《十四堂人生創意課2：創意→創造→創世》

第三部：《十四堂人生創意課3：50個問答+筆記本圓夢學》
第四部：《私房創意能源庫：50項私房創意包．50樣變身變腦法》
第五部：《旅行創意學：10個最具創意的「旅行力」》
第六部：《人生變局創意學：世界變法，你的百日維新》
第七部：《十堂量子創意課：10個改變命運的方法》
第八部：《打造創意版的自己：創意腦與創意人格培養手冊》

《李欣頻的環球旅行箱》：

三部曲之一：《創意啟蒙之旅》
三部曲之二：《心靈蛻變之旅》
三部曲之三：《奢華圓夢之旅》

《李欣頻的時尚感官三部曲》：

三部曲之一：《情慾料理》
三部曲之二：《食物戀》
三部曲之三：《戀物百科全書》

《李欣頻的都會愛情三部曲》：

三部曲之一：《愛情教練場》
三部曲之二：《戀愛詔書》
三部曲之三：《愛欲修道院》

《李欣頻的覺醒系列》：

《為何心想事不成：秘密裡還有十個你不知道的秘密》
《愛情覺醒地圖：讓你受苦的是你對愛情的信念》

《李欣頻的曆法系列》：

《馬曆連夢錄》
《正能曆》
《萬有引曆》

《李欣頻的音樂導引專輯》：

《音樂欣頻率》（風潮唱片）

李欣頻Facebook粉絲專頁http://www.facebook.com/leewriter0811
新浪微博、騰迅微博@李欣频，微信公共號請搜「readers0811」或「李欣频」，微信服務號請搜「source0811」或「欣频道」
其中騰迅微博粉絲人數已超過四六〇萬人。

自序

因為自閉，所以畫地自限。因為自戀，只好自我隔離。用想像力幫自己在難以適應的現實社會中，不停地找出口，就像走失在百年無人的大宮殿中，發現一個個可以自得其樂一輩子的小房間。

小房間格局有限，放到電腦上，它變成一個個擁夢為王，倍速蔓延的無害國度，完全脫離我的主宰，自行繁衍生機。

想像力永遠走得比文明更快。感謝中國時報前趣味休閒版主編江靜芳的溫柔催生，和前數位時代雜誌詹偉雄的支持。感謝這本書的設計，與我一起在不確定的場域中開疆闢土。在新世紀懷著三十個希望誕生的國度，期待你也能找到樂不思蜀的天地。

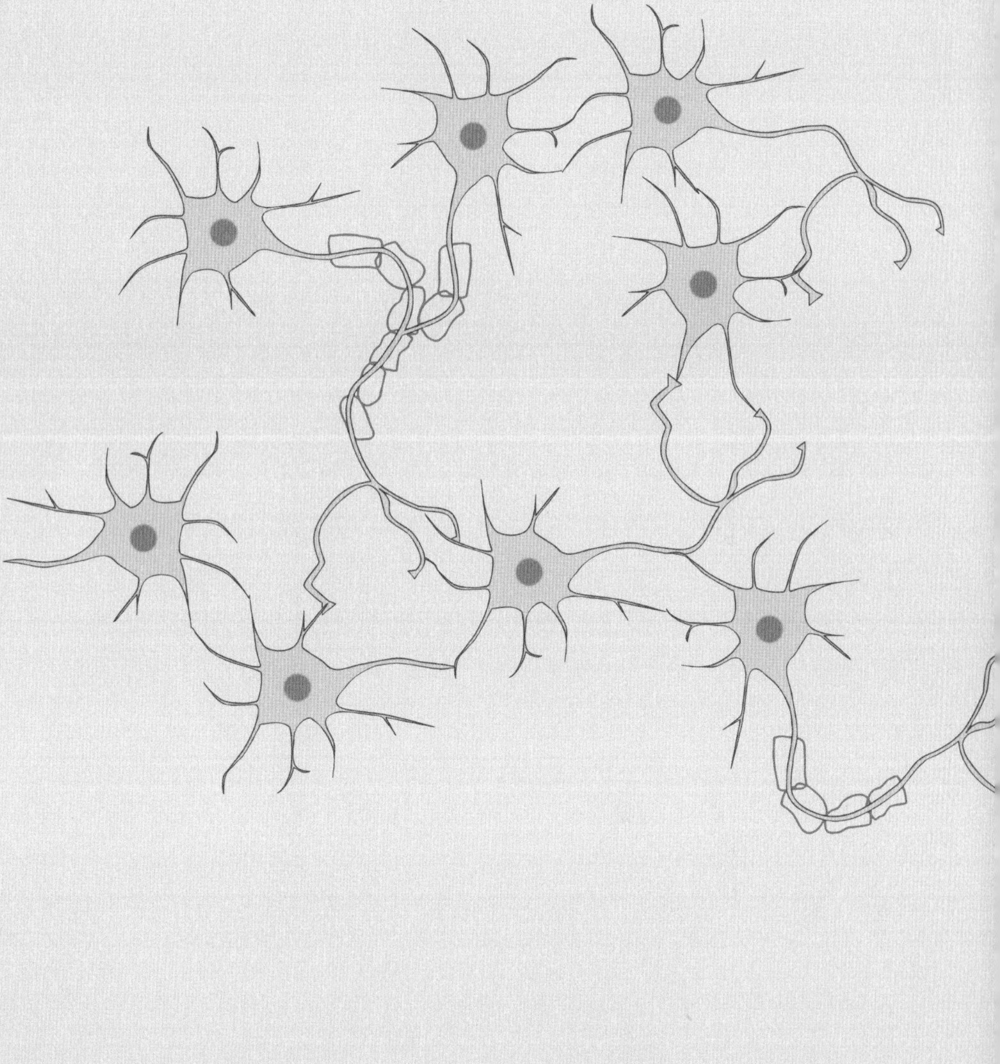

A

人

【人類・複數】

童話國
女人國
天體國
複製國
巫術國
死亡國

童話國

跟KITTY貓共用一隻行動電話。
與DONALD鴨合穿一件毛衣共同取暖。
和米老鼠睡在同一張床上，不會失眠。
在家裡養一隻GOOFY狗，鄰居不會抗議。
對女孩子溫柔的史努比，是你的戀愛顧問，
沒有心機的小熊維尼，不會把秘密告訴別人。
當過救生員和總統候選人的芭比，比心理醫生還了解你。
穿上彼德兔的襪子，可以帶你找到好心情。
寂寞的城市，不孤單的生活，
找一個卡通人物做你的代言人，比用十二生肖還有趣。
在無國界的卡通世界中，童話一開張，
每個人都找到了新的安全感！

• 背後財團：童裝SHOPPING MALL、
兒童樂園、玩具城……

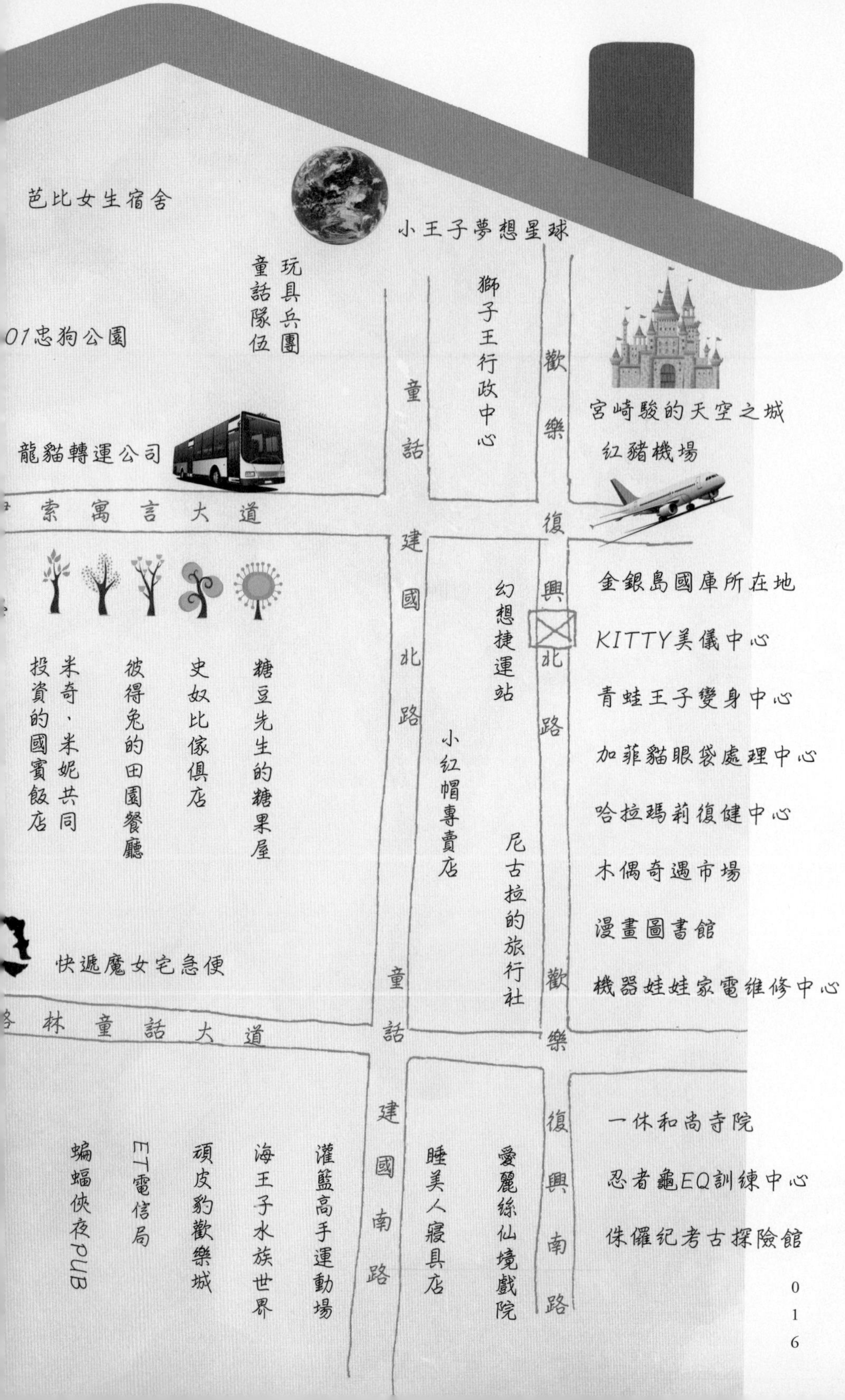
芭比女生宿舍
小王子夢想星球
玩具兵團童話隊伍
獅子王行政中心
01忠狗公園
宮崎駿的天空之城
紅豬機場
龍貓轉運公司
童話建國北路
歡樂復興北路
索寓言大道
金銀島國庫所在地
幻想捷運站
KITTY美儀中心
青蛙王子變身中心
米奇、米妮共同投資的國賓飯店
彼得兔的田園餐廳
史奴比傢俱店
糖豆先生的糖果屋
小紅帽專賣店
加菲貓眼袋處理中心
哈拉瑪莉復健中心
尼古拉的旅行社
木偶奇遇市場
漫畫圖書館
快遞魔女宅急便
機器娃娃家電維修中心
林童話大道
童話建國南路
歡樂復興南路
一休和尚寺院
忍者龜EQ訓練中心
侏儸紀考古探險館
蝙蝠俠夜PUB
ET電信局
頑皮豹歡樂城
海王子水族世界
灌籃高手運動場
睡美人寢具店
愛麗絲仙境戲院

童話屋
童話建國，歡迎光臨娃娃屋
芭比
安徒生大道
櫻
小甜甜健保局

女人國

♀女人國開國宣言：

・加州大學的科學家追蹤一個原始DNA分子突變過程後，主張所有人類都是由一名非洲女性遺傳而來。

・聯合國調查：全世界53%的工作是女人完成的，但她們獲得的報酬，只有全世界的1/3。

・全世界一百九十位國家元首中，只有五名是女性。

・女性佔全世界人口的一半，享有的權利、空間、自由、資訊卻不成比例。在這個充滿同工不同酬，暴力、性侵犯的城市，一流的女性，卻被三流的男人統治、侵犯了好幾千年。女人決定參加蟻后治國的模式，思考自己立國的可能。

・法國傳播學家Mike Burke說：女人是男人的將來。

・趨勢專家John Naisbitt說：女人正在改變世界。

・莎莎嘉嘉站起來，女人決定推翻男人自以為是的世界，接管自己的身體，擴大領地，收回權利，主宰慾望，及一個國家。

・我們相信，女人一旦治國，將會在最短的時間內減少最多的貪污、官商勾結、黑道、性暴力——把浪費在權力、財力爭奪戰的金錢及人力資源，全數轉用在國家的社會福利上，讓每個人過得更幸福。

・日本讀賣新聞調查，來生想當女人的男性增加$\frac{4}{100}$，想再當女人的女性則增加$\frac{11}{100}$。女性影展、女性信用卡、女性百貨公司、女書店、女性餐廳相繼成立，男人即將勢微，以子宮氣質對抗暴力陽剛。

・女人治國、共謀有禮。繼女力時代、女經理、女總統上台之後，阿納絲塔夏所掀起的全球女神風潮即將展開！

・背後財團：女人信用卡、衛生棉、內衣、女書店、女性影展。

女人國入口

(B) 休閒區

- ⊙女性健美保養所
- ⊙女性休閒館
- ⊙卡蜜兒才藝館
- ⊙女人秘密花園
- ⊙女性夜總會

(D) 農業區

- ⊙阿納斯塔夏小農場
- ⊙無農藥蔬果培養所
- ⊙生鮮超市連鎖網

(附買菜專車與社區巴士連線)

(A) 行政區

- ⊙總統府(全由女性執政,少數優秀男性得為國策顧問一職)
- ⊙國防部(全面留意國境可疑的男人/嚴禁男人非法偷渡及侵犯)
- ⊙外交部(審核新好男人入境及短期簽證、居留/專業男性、男勞工引入/對男人外交政策擬定)
- ⊙立法院(明定每月有七天的合法月經假、產假,並訂立女國慶日、女性光復節、女權節、自由女神日……)
- ⊙行政院
- ⊙衛生局(明定公廁男女比例1:10/並免費供應衛生棉,每間廁所至少0.5坪)。每年定期女性身心健康檢查
- ⊙新聞處(女性電視台、電台)
- ⊙交通部(保障女性交通權、夜行權、路標指示清楚……)
- ⊙財政部(發行女性專用香水貨幣)

(C) 研究區

- ⊙西蒙波娃·女性智慧開發所
- ⊙瑪格麗特·女性博物館
- ⊙女性哲學所
- ⊙彭婉如女難紀念館
- ⊙女史研究所
- ⊙女書研發所(開發女性書寫文字、文法)
- ⊙女性文學所
- ⊙女書店
- ⊙女巫學院

(E) 商業區

- ⊙女性百貨公司
- ⊙女性餐廳
- ⊙女性電影院

（F）醫護區

⊙女性基因繁殖所（研究優生學／自體及單性繁殖的可能）
⊙女性專業醫療所（女性疾病醫療費、防癌檢查費等由國家負擔）
⊙女性精神照護所（全面關照女性個別精神狀態、輔助宣洩日常壓力）
⊙女人心事收藏館
⊙懷孕照護所
⊙受害、受虐女性追蹤輔導所、治療所（費用由國家全數支付）
⊙美容、健身保養館（憑健保卡入場）
⊙兩性溝通研究所

（H）居住區

⊙女性建設部（由女性建築師、女性環境規劃師、女性土木工程群，依女性的體力、尺寸、全面考量建築的尺度及空間規劃，如安排寬敞而開放的廚房、女性自己的書房……）
⊙家事互助所／包括社區廚房、社區餐廳、社區托兒所、Betty Friedan老人住宅（由國家負責安老、托兒的責任）
⊙女性階段性社區成長所
⊙女子單身國宅／家庭國宅
⊙女性部落

（G）工業區

⊙女性汽車工廠（由女性工業設計師主導，完全依照女人的人體工學設計，無喇叭的聲音暴力）
⊙反污染生態維護所
⊙女性家事效率科技研發所
⊙安德蕾德賽女太空人培訓所

千古以來，服裝迫害人體。

不想再花錢置裝，花時間看服裝，
美麗的人體為什麼要這樣大費周章地遮遮掩掩，
浪費社會資源？

身體本無邪，誰說曝露就有罪？
自由不只在天體營，
我們需要閱讀更大面積的人體，
需要更大的天地展示身體。
靈魂自治，身體自愛，
沒有服裝的階級，沒有禁忌的樂園，
恩人仇人都將袒裎相見。

天體國

・背後財團：塑身／健身中心、紋身／彩繪人體中心、衛生棉條公司

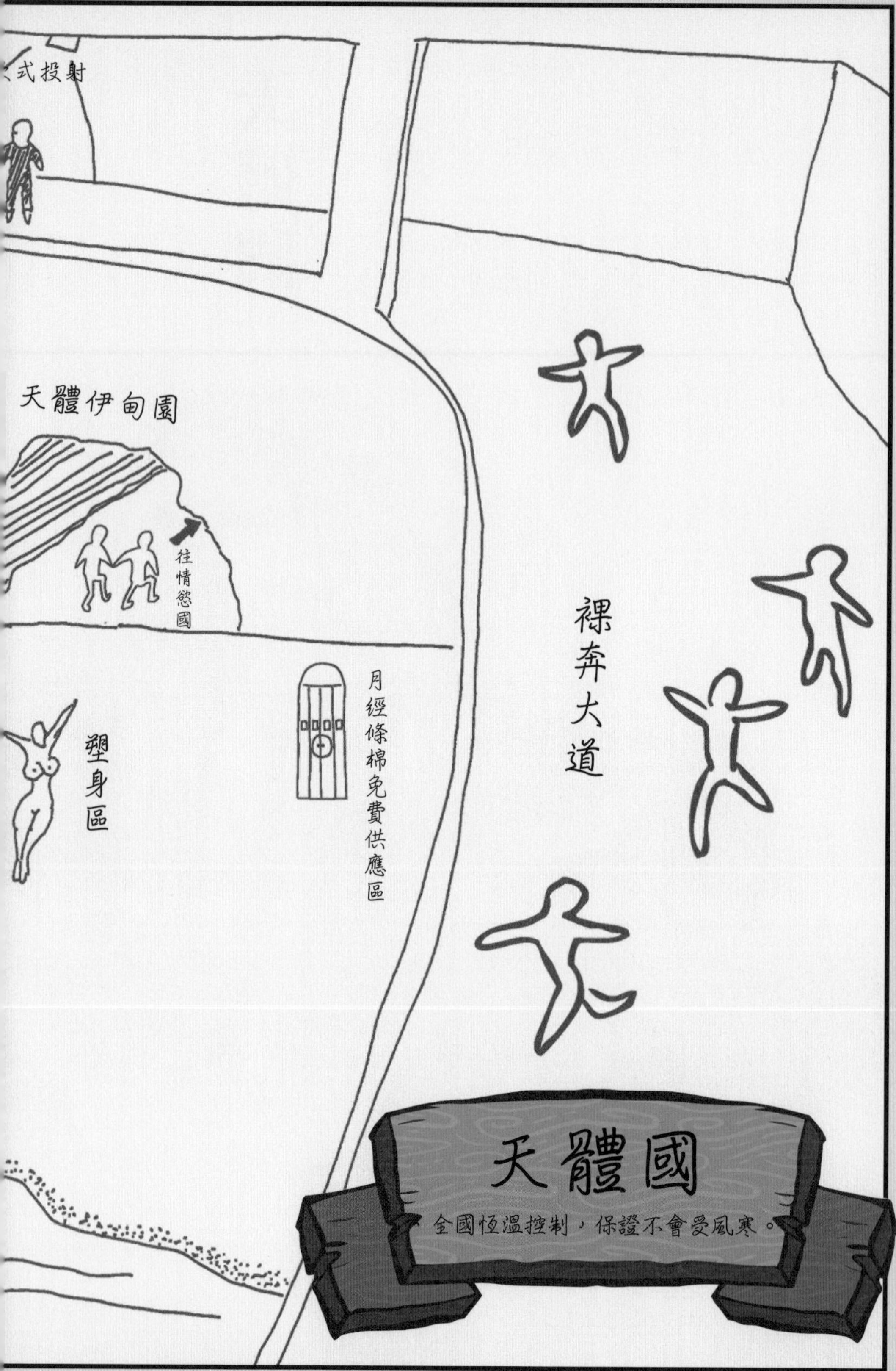
式投射
天體伊甸園
往情慾國
塑身區
月經條棉免費供應區
裸奔大道
天體國
全國恆溫控制，保證不會受風寒。

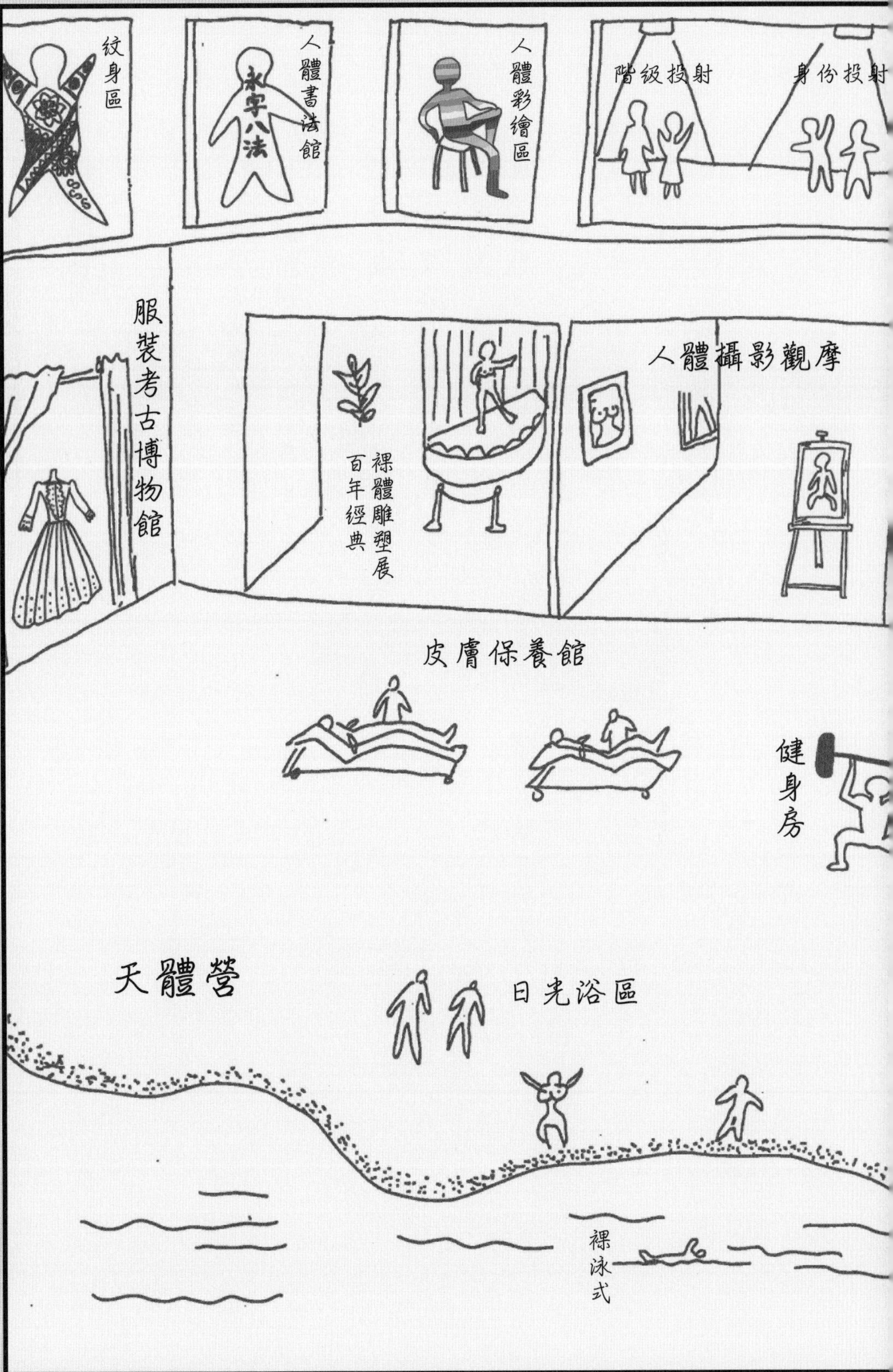

纹身區
人體書法館
永字八法
人體彩繪區
階級投射
身份投射
服裝考古博物館
裸體雕塑展
百年經典
人體攝影觀摩
皮膚保養館
健身房
天體營
日光浴區
裸泳式

複製國[2]

和Narcissus一樣在鏡前自戀，
找不到肉身的雙胞胎，
找不到精神上的雙面薇若妮卡。

桃麗羊成功後，
我們決定把自己變成複數，
動手複製一模一樣，或是更完美的自己，
複製愛因斯坦、瑪麗蓮夢露、麥克喬丹，和瀕臨絕種的熊貓。

我們很忙，需要分身，
需要像印鈔票似的，快速複製人腦的價值。
看著自己被生下來的時代，已經來臨。

贊助財團：鏡子、內衣、信用卡

進化改造廠

從上帝手中接掌自己的演化，利用電腦科技算出自己的最高智力，最大潛力，最美的外表組合，及最powerful的身體。100分的自己，適者一定好生存；達爾文的進化論，可以自己寫續集。

情人供應廠

上帝拿肋骨造情人，缺憾一堆，老是和自己的意見不合，無限忍耐及寬容的愛，能撐到什麼時候？
我們決定拿出一個基因，以陰陽正反合的原理，翻製與自己心靈100%契合的愛人。因為自戀，所以自愛，因為自愛，所以自我造愛。情人供應廠，沒有人數的限制，如果你花心，可以通宵加班，大量生產你的需求。

知己供應廠

生我者父母，知我者自己也。
人海茫茫，知音難尋，
複製另一個自己，才是最了解自己酸甜苦辣的人。
100%專心分享的情誼，有很多個自己陪自己，絕對熱鬧，
你不可能再孤單。

複²製國

幕僚供應廠

用自己的基因，複製一批跟隨自己的人馬，培養自己信賴的班底，危急時共商大事，思考時面面俱全，是可以共患難又不必利益共享的好幕僚。

管家供應廠

愈忙就愈需要貼心的管家。自己的分身就像肚子裡的蛔蟲，餓了知道自己想吃什麼，冷了知道幫你加幾件衣服，不必下指令，心電就能感應。

僕人供應廠

菲傭語言不通，請泰勞又不放心，
造一群與自己神似、自己專享的僕人，不怕叛逃，不怕被收買，
絕對忠心耿耿。

青春供應廠

自己適用的胎盤素，自給自足，
讓自己保持永遠的18歲。

器官供應廠

自力更生，專門生產自己獨享的新鮮器官，腎衰換腎，
腦死換腦，24小時無限供應身體零件。

巫術國

與人結怨，仇恨無處發洩，最毒婦人心。
冤家路窄，巫術國一成立，夜路走多一定會遇到鬼。
你何必冒險刮車刺輪胎寫恐嚇信、放火、殺人、分屍、潑硫酸？
有了巫術，
你可以痛快地在檯面下盡情地報復，

黑道幫
手。

效果十足卻又天衣無縫，
仇人變哀家，保證記取教訓，
最重要的是，還可以幫你免責免去牢獄之災，
在這裡復仇，百分之百無副作用。

小心，巫婆就在你身邊。

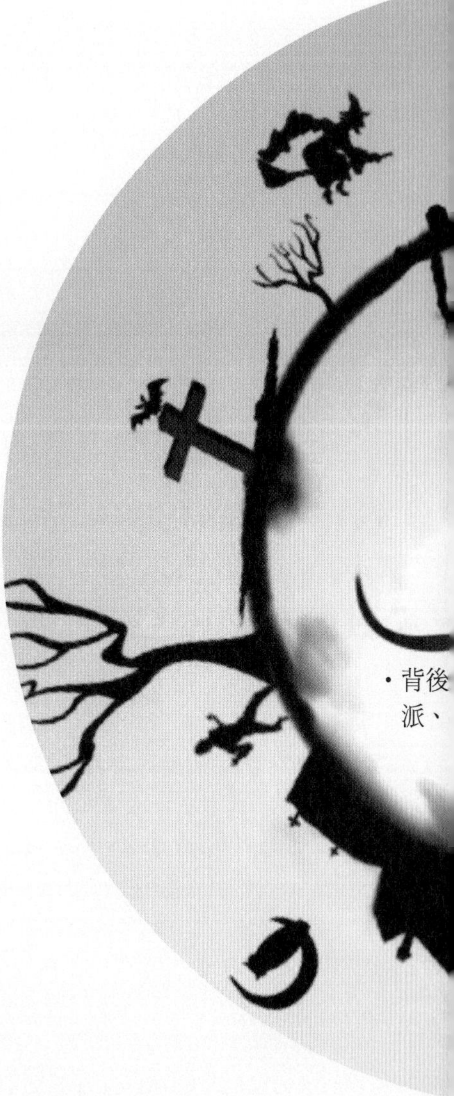

绝命追殺令

室

漢瞎了眼
的獸失能
者變啞巴

截肢，人體實驗室

把強暴犯閹了，把小偷斷手斷腳，那個沒心肝的可惡老闆，就在這裡用化學毒品、醫學藥品玩遍他的器官，折磨他的感官，看他還有幾條命，敢這樣無法無天。

無期徒刑

在你的領地，關他一輩子，永不特赦。

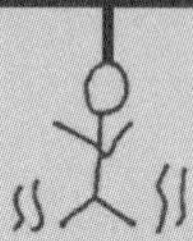

淩遲台

十惡不赦，就用滿清十大酷刑伺候，給他千刀萬剮，痛不欲生。

當眾處死台

指定觀眾人數、行刑時間，地點、方式。

下蠱室

小紙人針灸室

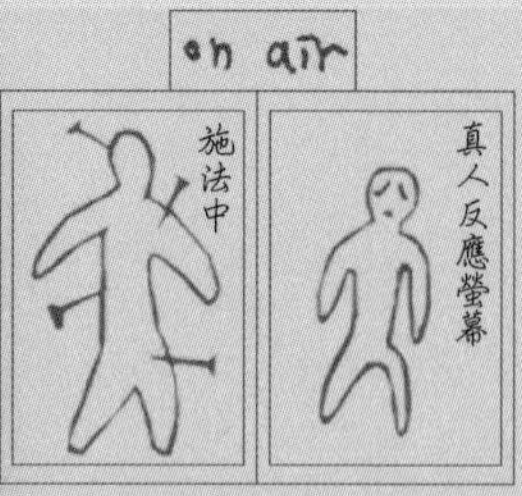

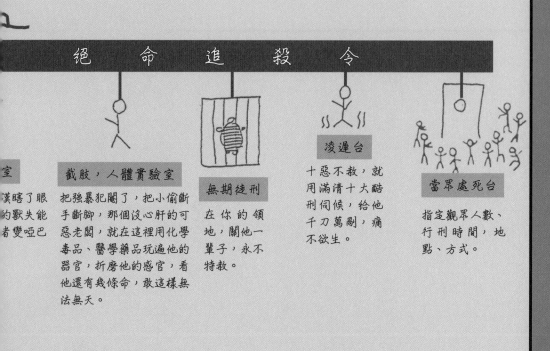

巫術國

洩恨是必要的，我們要用超能力，痛快地解決人間恩怨。

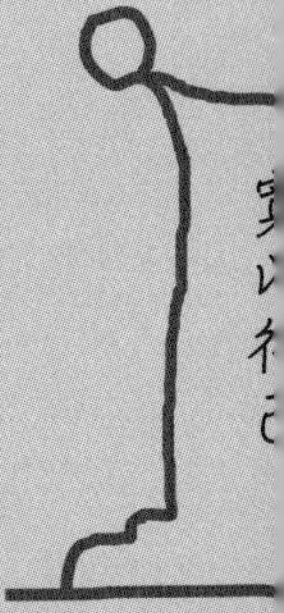

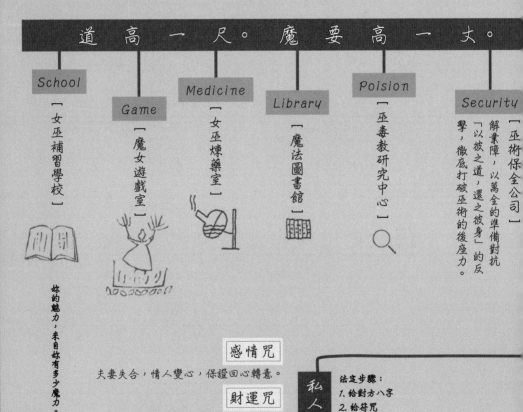

道高一尺。魔要高一丈。

School
【女巫補習學校】

Game
【魔女遊戲室】

Medicine
【女巫煉藥室】

Library
【魔法圖書館】

Poision
【巫毒教研究中心】

Security
【巫術保全公司】
解業障，以萬金的準備對抗「以彼之道，還之彼身」的反擊，徹底打破巫術的後座力。

妳的魅力，來自妳有多少魔力。

感情咒
夫妻失合，情人變心，保證回心轉意。

財運咒
財神降臨，替我招財，一夕致富。

健康咒
消災解危，起死回生，一帖見效。

事業咒
快速昇官，金榜題名，心之所欲，路為之開。

私人做法室

法定步驟：
1. 給對方八字
2. 給符咒
3. 找施法時辰
4. 罪人念咒
5. 燒掉符咒
6. 丟入海中

死亡國

生不如死

醉生夢死。

活人的世界，每天都有人死去。

出生的搖籃前，一場華麗的陵墓正在興建。

未知生，焉知死。

如果只剩24小時可活，

你會特別體會食物的滋味，人的友善，物的得來不易，
特別知道相處時間的可貴。

請先看完西藏生死書，擬好財產分配的遺書，
把所有的心事放下，
來死亡國，
以先人的智慧提前善理您的身後事。

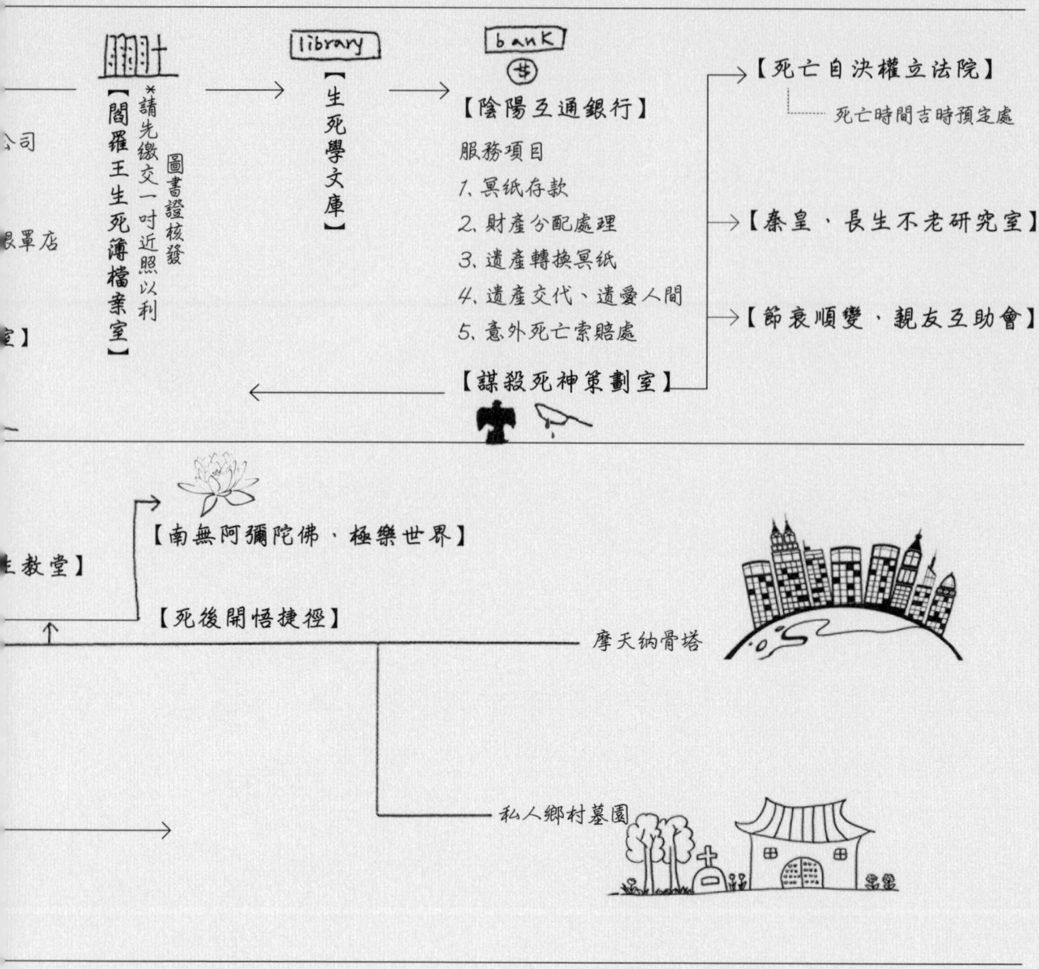

公司
罩店
【閻羅王生死簿檔案室】
*請先繳交一吋近照以利圖書證核發
library
【生死學文庫】
bank
【陰陽互通銀行】
服務項目
1. 冥紙存款
2. 財產分配處理
3. 遺產轉換冥紙
4. 遺產交代、遺愛人間
5. 意外死亡索賠處
【死亡自決權立法院】
死亡時間吉時預定處
【秦皇、長生不老研究室】
【節哀順變，親友互助會】
【謀殺死神策劃室】
【南無阿彌陀佛，極樂世界】
教堂】
【死後開悟捷徑】
摩天納骨塔
私人鄉村墓園

死亡·國

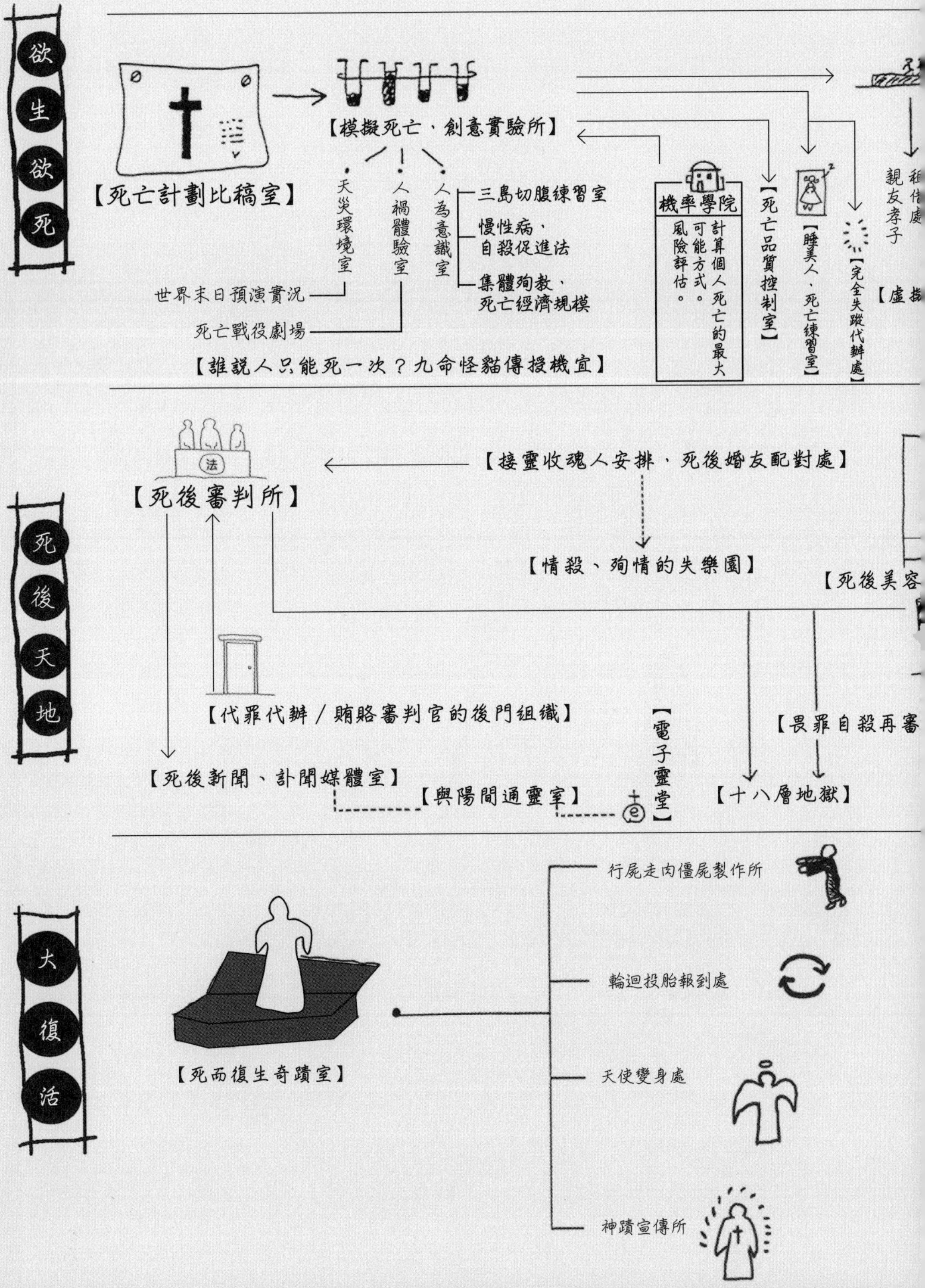
欲生欲死
【死亡計劃比稿室】
【模擬死亡、創意實驗所】
天災環境室
人禍體驗室
人為意識室
三島切腹練習室
慢性病、
自殺促進法
集體殉教、
死亡經濟規模
世界末日預演實況
死亡戰役劇場
【誰說人只能死一次？九命怪貓傳授機宜】
機率學院
計算個人死亡的最大可能方式。
風險評估。
【死亡品質控制室】
【睡美人、死亡練習室】
【完全失蹤代辦處】
親友孝子
【虛擬
死後天地
【死後審判所】
法
【接靈收魂人安排、死後婚友配對處】
【情殺、殉情的失樂園】
【死後美容
【代罪代辦／賄賂審判官的後門組織】
【畏罪自殺再審
【死後新聞、訃聞媒體室】
【與陽間通靈室】
【電子靈堂】
【十八層地獄】
大復活
【死而復生奇蹟室】
行屍走肉僵屍製作所
輪迴投胎報到處
天使變身處
神蹟宣傳所

B
CURSUM PERFICIO

事

【事態・認同】

旅行國
偷窺國
電影國
慶典國
預言國

旅行國

旅行，是一種改變，改變居住的地方，
改變生活習慣，改變身邊的人，改變時間，改變責任和義務。
每個人心中都有想旅行的路線圖，
每一雙眼睛都能映出一座獨一無二的旅行國版圖。

主題：

一生旅行所到之處，都是國界。

立國精神：

詩人說，人見面超過三次，就一文不值，何必留來留去留成仇？
一出國讓往事成追憶，還比較瀟灑！

開國宗旨：

台灣太小，很多人老往國外跑！
（尤其那些拿錢跑路的人，一直沒有回來）
世界夠大，不怕你不玩，怕你玩不完！
只要在「旅行國」，厭世者不必自殺，只要選擇有迪士尼的國家，
馬上直達「極樂世界」。
想離職者不必找藉口，簽證時限一到就可以走人，連辭呈都不必寫！

版圖：

腳程可達之處，都是領地。每年變更一次國都所在地。

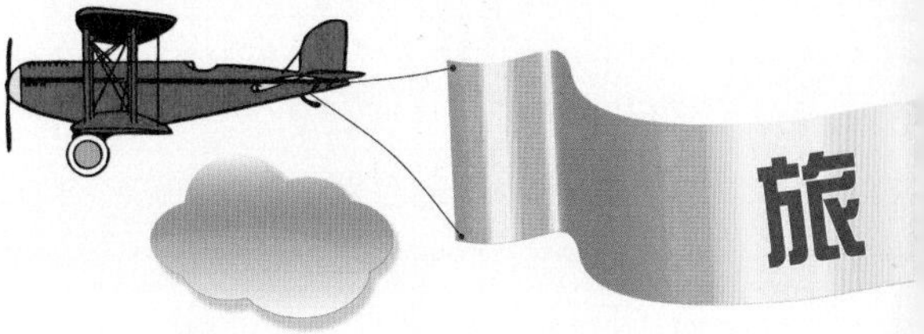

本國法律規定：

平均一個國家少則待上一天，多則待上一八二天（以人類平均年齡七十四歲，除以全世界一九五個國家計），入境一天後如果不想再待，可以提前落跑，但不能再回頭！所以只要命夠長，你就有機會認識七十億人口中的四十九億人。

國民的分類：

以星座、血型取代國籍分類。

國民的權利：

不停的出走、不停的旅行、不停的調整時差……你可能在一生中目睹到夏威夷的火山爆發，二〇〇〇年雪梨奧運，北極圈的日不落景，彗星撞地球……

國民特性：

1 擁有多重國籍身份，一直是空中飛人，一直是外國人。要我效忠某國，對不起，我做不到！

2 為了把握時間，常常一見鍾情；為了看遍世界，要學會絕情。

3 方向感要很好，適應力要很強，隨時辨認新國家的禮俗、禁忌、國歌，隨地清楚自己在地圖上的哪一點。

4 每一次決定離開都是永不回頭的賭注，每一次出國都是無情的割捨，你可能會覺得愛得有點徒勞無功，不過您得學會在新歡身上找到舊愛的神情！

・背後財團：旅行社、航空公司

本國倫理：

1 聚少離多，每個人相處時間壓縮成一八二天之內，會比較真誠。雙方已沒有時間去猜忌、吵架、考驗、等待，或是避不見面，有話趕快表白！

2 如果你的配偶不打算跟你去下一個國家，可以合法再婚，你在各個國家會有不同血統的孩子；等到孩子獨立，可以脫離父母自定旅程。

3 來不及參與你的過去，但可以一起共度未來。如果真愛上某人，下次旅程就約去法國香榭大道，然後去德國萊茵河、日本京都、關島……

4 每到一個國家可以選擇改教或破戒，一妻多夫或一夫多妻，禁吃豬肉或大開殺戒……

5 最後到的國家就是你長眠之處，所以時間要算準，免得所葬非地！

生產方式：

在這個國家就要找好下一個國家的工作，所以常換老闆是道德的！

個人財產制：

1 以一個人能帶走的行李重量為準。

2 必備個人電腦隨時上Internet，如果你想知道去年三月在荷蘭認識的Miss Lee，你可以在網路上查到她的最新行蹤（除非Miss Lee不想被人找到，你只好找徵信社的人一直Folow被跟蹤人的旅程，直到交差為止）

本國特殊優惠：

1因為你會增加很多在遠方的朋友，所以越洋和區內的通話一樣便宜，不過你常會在下一個國家收到上一個國家的電話費帳單！

2因為你老是和家人相隔兩地，所以思鄉日郵票一律優惠為三．五元，不過郵差可得隨著送件方向而決定旅程。

3一律免簽證費，旅費和機票便宜到就像在坐公車。

4瞎拚族注意了，在這裡每一間商店都是免稅店！

本國熱門行業：

1旅行社很必要。導遊自己也在旅行，他們沒比你多來一次，只是比你早到幾天！

2本國國民不必買房子，因為到處都是便宜又好的旅館；每個人居無定所，不必記長串的通訊地址，只要記得房間號碼。

3算命師很搶手，他會依你的流年替你安排下一個行程；並且你的手紋會因旅程而改向。如果你的算命師夠靈，他可以指引你「桃花」新方向，避開下一個國家的災難，讓你的人生旅程更順暢。

如果你遇人不淑，你可能會遇上戰爭，把你徵召到下一個國家去打仗；或是到日本得腦炎、到印度患熱病，到泰國感染AIDS……旅途太勞頓，會消耗你後半輩子旅行的興緻。

切記：

別在某處為愛犯了罪，因為一旦入獄，便少了旅行其他國家的機會（除非你喜歡另一種旅行方式：逃亡！）

1999年12月31日，人類第三個千禧年將臨。
北極圈北方340英里Barrow的永夜，
是體驗「世界末日與冷酷異境」的最佳場景。
今年的最後一夜，我想24小時不眠不休地，
和愛斯基摩人等待明年的黎明到來。

迷信紫微、迷信星座、迷信風水、迷信咒語者，
一生就應該到玻利維亞的巫術街朝聖一次。
順便找印第安婆婆添購需要的巫術行頭，自己來挽回感情、升官發財、生男生女、家運昌隆、旅途保平安！

以色列死海，海拔－400公尺，
全地球表面最低點，太陽和月亮還在這裡交接黑夜和白天。
此地萬物不生，唯我獨活。
含鹽百分之三十的海水，受傷未癒的人請迴避。
還有黑泥療效，我和秦始皇一樣都想青春不老。

結論：請你現在就打包家產，背著行囊，繞著地球跑。

旅行國

老是台灣攝氏17℃的耶誕節，老是在寒流中假想燭光的溫暖，以及背著厚重大衣吃力地狂歡。
今年決定到澳洲，和一個穿得少少的情人，過一個夏天的耶誕節。

希臘Ephesus古城中，Celsus是世界上最古老的圖書館，
一座妓院就蓋在旁邊，之間還有通道相接。
古羅馬人藉著去圖書館的名義去妓院偷歡。
這條人類大腦與肉體唯一私通之處，是全城的人和我都想一窺的祕密通道。

住在格林威治換日線上、可以和上帝玩時間
往左，有權再過一次昨天；
往右，也可以提前到明天。
另外，唯一讓時間暫停、中止老化的方法，
就是每隔一小時逆時針，走上1/24個地球即

到巴黎的「上帝街」，問撒旦是不是就住在對面。
到「壞男孩街」買一本惡童日記。
到「無頭婦人街」替羅浮宮斷頭的勝利女神找新住處。
到「去釣魚的貓街」，找離家出走半年多的愛貓，和同時失蹤的魚。

偷窺國

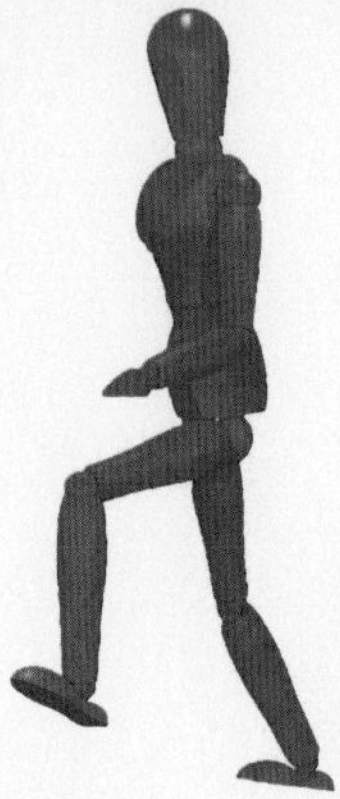

大廈管理員

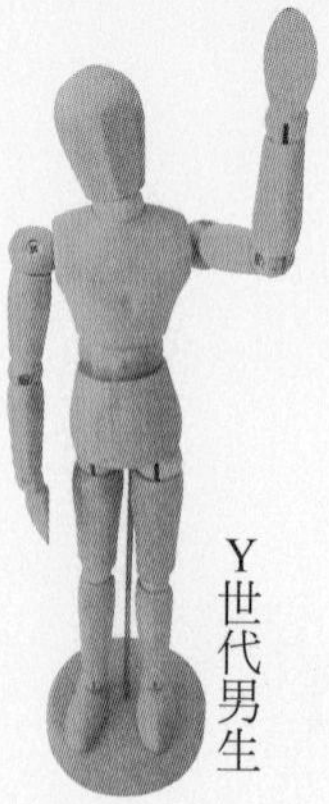

Y世代男生

我們主張：

有偷窺狂和表現慾的人可以站好位置，

各取所需，和平共國。

罹患末世紀自閉情結的都市繭居族，

7：30pm回家後就不再出門。

你死我活的八點檔連續劇，看到睡著的電影，

一小時訊息中斷8次的電腦網路……

這些人無聊到快發瘋了。

偷窺不再是大廈管理員、徵信社、調查局、保

、針孔

仔隊

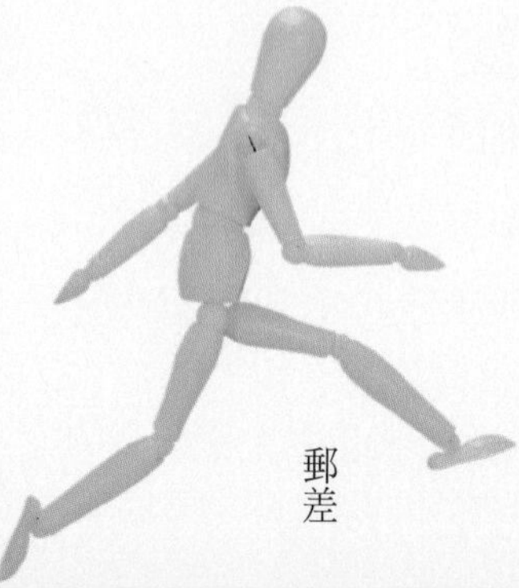

郵差

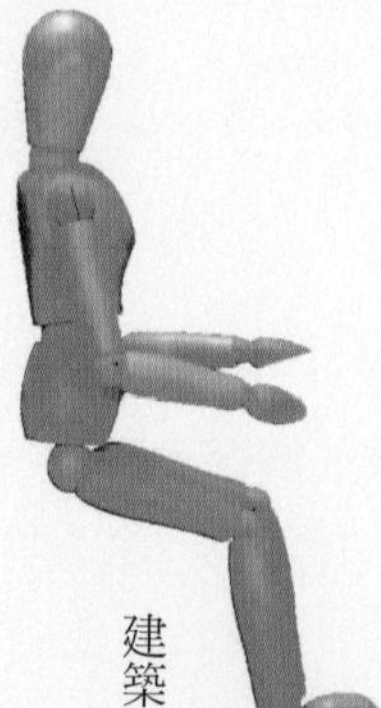

建築師

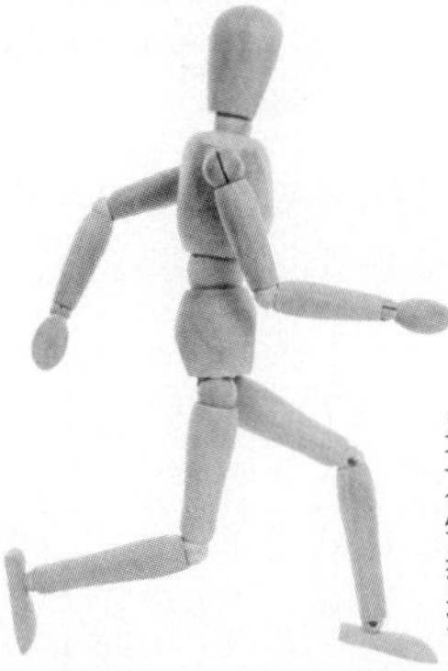

男大學教授

·背
攝

全人員的特權，所有的人不約而同地到光華商場添購解碼器、3D立體透視鏡、望遠鏡、隱藏式攝影機……

決定開始偷窺老公、鄰居、路人甲，和自己。從電視、電腦、電影所轉移開的目光，偷窺國正式接收所有流失的收視率，加強燈光、效果、演技、錄影技術及臨場感，公然挑戰隱私權，祕密開國。

想不起來今天早上澆花了嗎？問問住在對面的人看看吧！

偷窺無罪、目擊有禮。

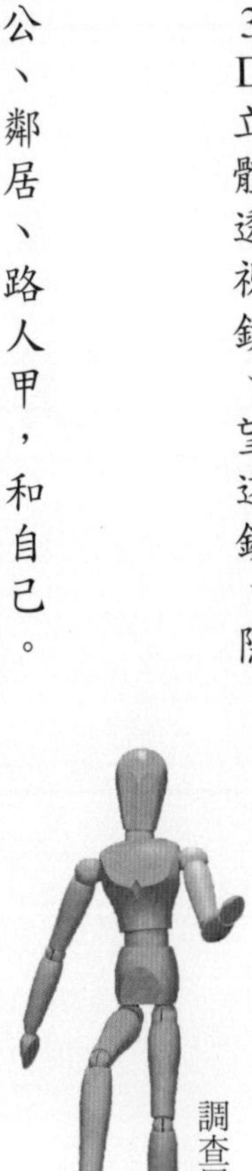

調查局幹員

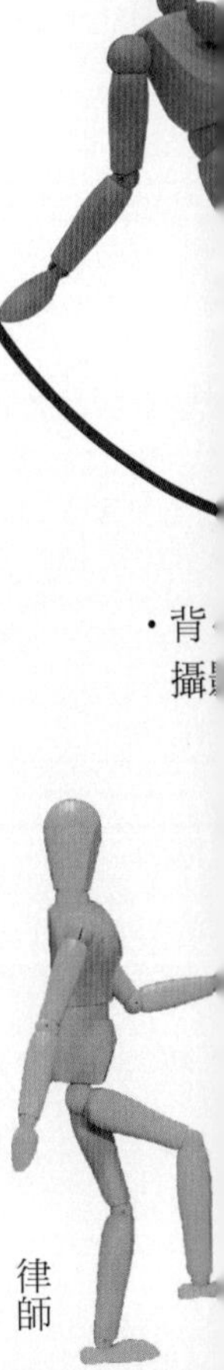

律師

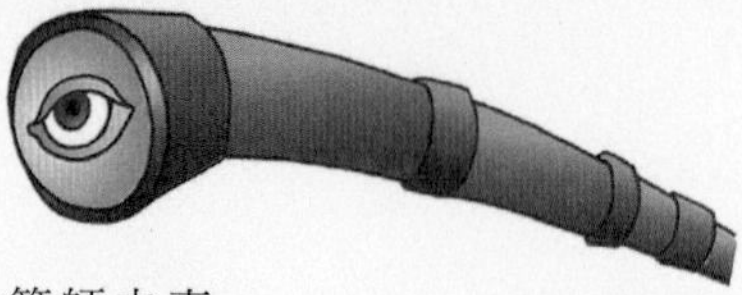

偷窺國

懷疑論者橫行天下，意淫的偷窺者需要有表現慾的目標。

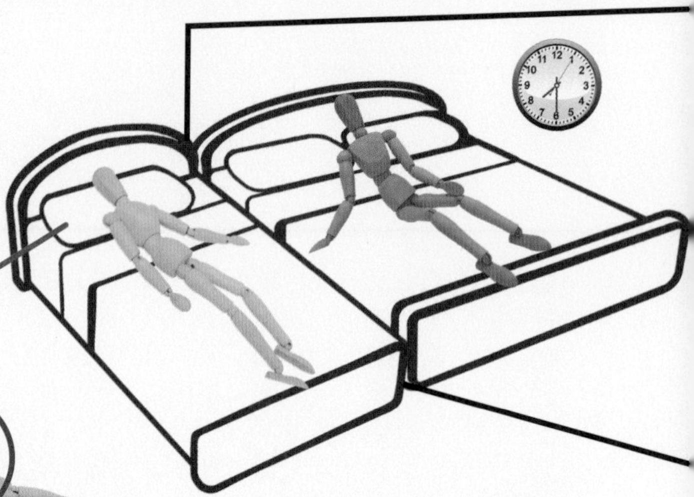

【場景三】

下午5：20分，暗戀建築師之妻已久的68年次Y世代男生，目睹後有一點歇斯底里。他的房子與建築師家中只隔一面牆。一個偷窺專用的鏡面牆。他把床靠著她的床，浴缸緊靠她的浴缸邊，這樣就可以同床共浴，純屬巧合地一起生活。

（註：這種精神式的感官罪行，不會計入官方版的犯罪率中，安全無虞）

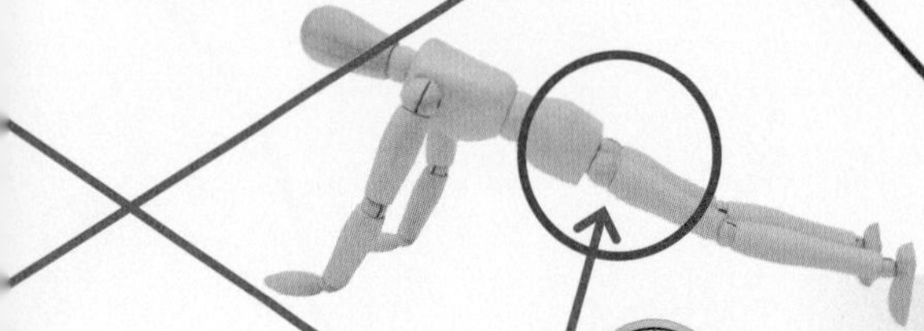

【場景六】

早上10：55分，調查局幹員以雷朋墨鏡在對街監視大廈管理員，他懷疑管理員利用收信件的管道與幫派走私毒品，這種合法的偷窺算是一門政治事件。

【場景四】

晚上7：30分，65歲，有戀童癖傾向之男大學教授，由於已失去外貌優勢，特別駭怕被拒絕，長期以高倍望遠鏡偷窺「後Y世代男孩」，常常因看他做伏地挺身看得神魂顛倒，廢寢忘食。

【場景五】
清晨6：05分，有點神經質的大廈管理員以monitor監看男大學教授，他認為9月9日～10月10日全大樓的報紙不翼而飛案件，與男教授脫不了關係，而且絕不是老花眼拿錯那麼簡單。

【場景一】星期一中午12：00，建築師與情婦在濱海的小別墅中，以手提式攝影機（註）互拍對方。情婦被激起非職業性的表演慾，一上鏡頭就性感無比。（註：手提式隱藏攝影機：90年代末新興的情趣用品之一，善引誘，後遺症見場景二）

【場景二】
下午4：30分，已失寵的建築師妻子在製圖桌下的暗櫃，發現這卷錄影帶及一本荒木經惟女體寫真集。和律師邊看邊討論捉×事宜時，因嫉妒性的報復，兩人竟演發另一段「第三情」——這種偷窺有點陰險。

用膠卷當皮帶，用電影字幕機表白愛情，
用打光燈當路燈，用片匣裝情書，
用打板當戶外廣告看板……

電影的一百分鐘，讓你的人生有一百種結局，
你可以死一百次，活一百次，當一百種人，過一百樣生活，
有一百個家，及一百位情人，
在電影國裡的一分鐘，
比你的一年人生還精彩。
戲假就能情真，夢是唯一的現實。
現在全面散發通告，善用電影關係玩私人遊戲，
在電影國門前，
只要入戲，
就可以免費入場。

・背後財團：影城、電影公司

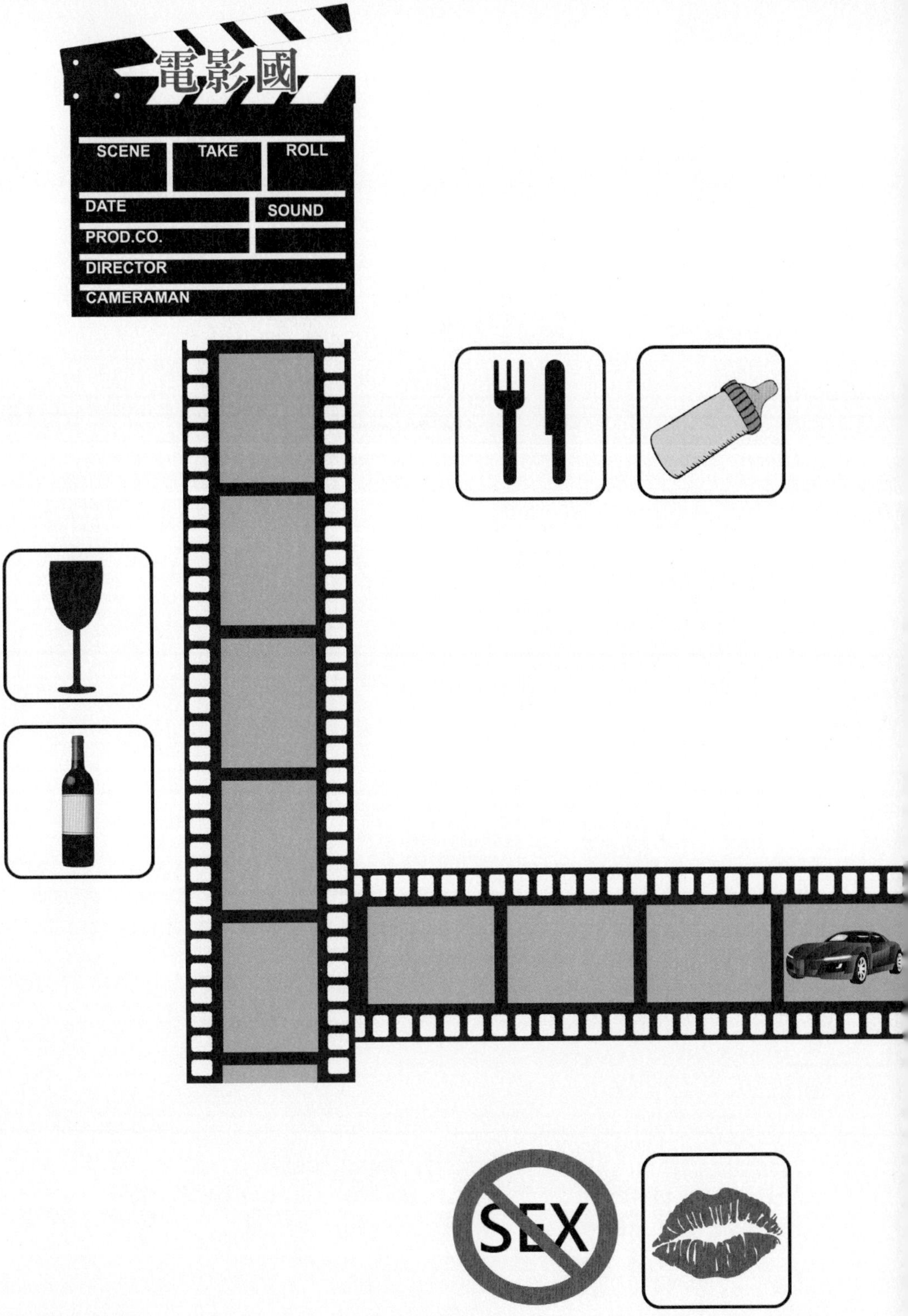
電影國
SCENE
TAKE
ROLL
DATE
SOUND
PROD.CO.
DIRECTOR
CAMERAMAN
SEX

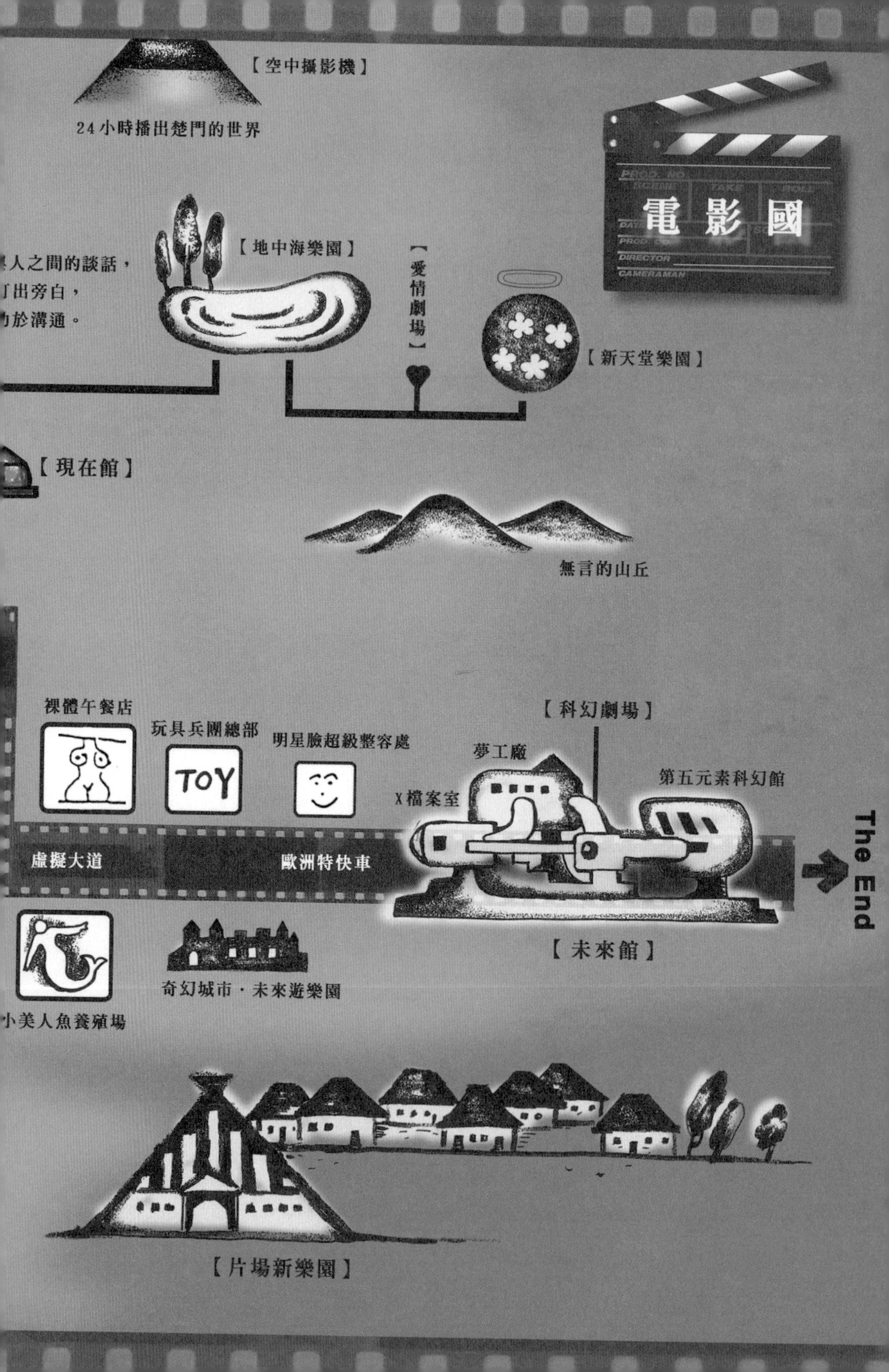
【空中攝影機】
24小時播出楚門的世界
電影國
DIRECTOR
CAMERAMAN
人之間的談話，
出旁白，
於溝通。
【地中海樂園】
【愛情劇場】
【新天堂樂園】
【現在館】
無言的山丘
裸體午餐店
玩具兵團總部
TOY
明星臉超級整容處
【科幻劇場】
夢工廠
第五元素科幻館
X檔案室
虛擬大道
歐洲特快車
The End
【未來館】
奇幻城市·未來遊樂園
小美人魚養殖場
【片場新樂園】

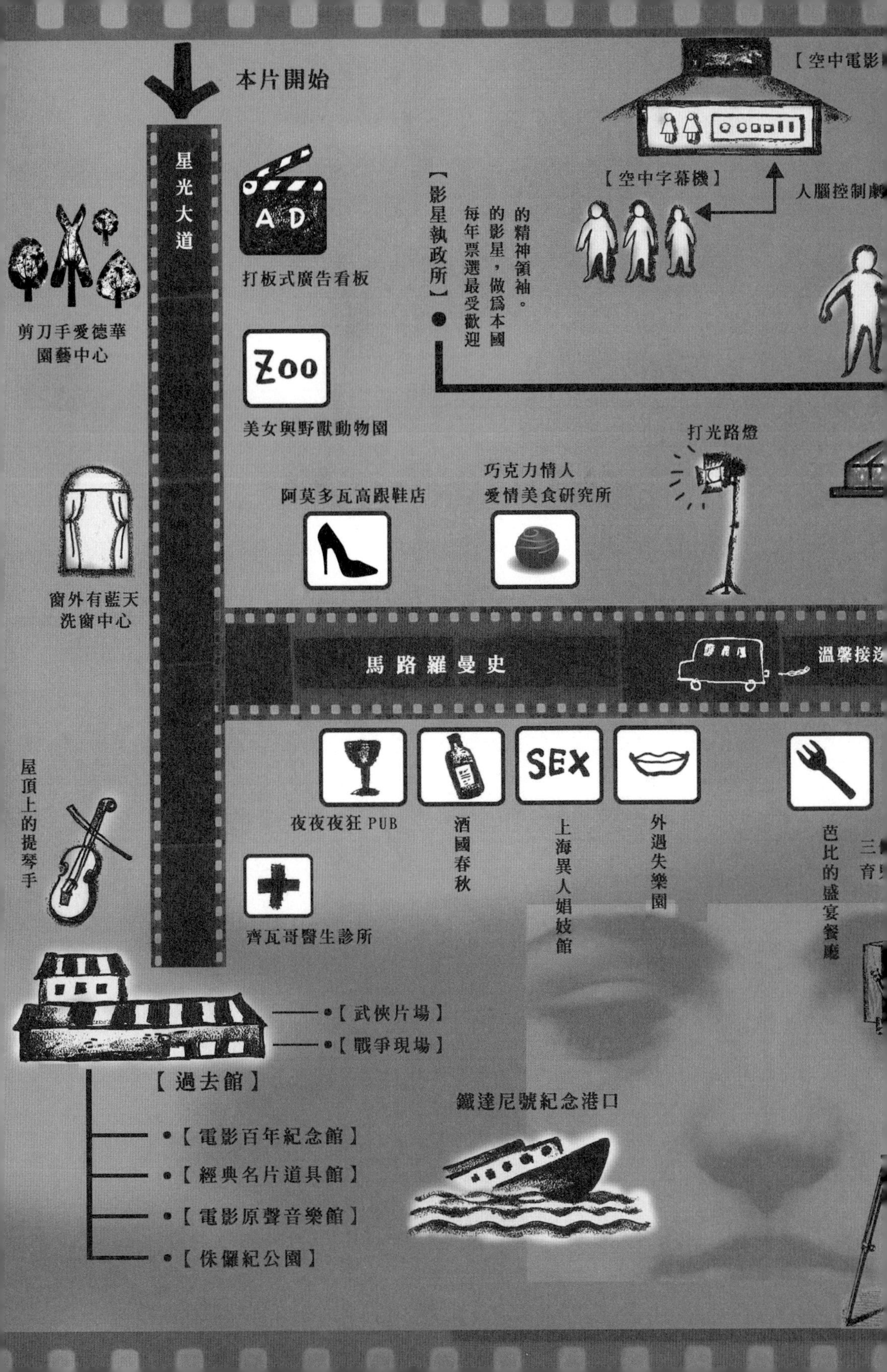
本片開始
星光大道
AD
打板式廣告看板
剪刀手愛德華
園藝中心
Zoo
美女與野獸動物園
窗外有藍天
洗窗中心
阿莫多瓦高跟鞋店
巧克力情人
愛情美食研究所
打光路燈
【空中電影
【空中字幕機】
人腦控制
【影星執政所】
每年票選最受歡迎的影星，做爲本國的精神領袖。
馬路羅曼史
溫馨接送
SEX
夜夜夜狂 PUB
酒國春秋
上海異人娼妓館
外遇失樂園
芭比的盛宴餐廳
屋頂上的提琴手
齊瓦哥醫生診所
【武俠片場】
【戰爭現場】
【過去館】
【電影百年紀念館】
【經典名片道具館】
【電影原聲音樂館】
【侏儸紀公園】
鐵達尼號紀念港口

慶典國

世界各地，
每天都有大大小小的慶典活動正在進行。
除了生日加國定假日外，
幾乎沒什麼理由，
在其他平凡無聊的日子裡，
找一點慶祝或是藉機發瘋的名目。
一年放假百天，不少卻永遠不嫌多，
所以我們將成立「慶典國」，
日夜有活動，
天天有放假的理由。
別只是看熱鬧，
快來加入我們的奇幻party，
以您獨創的慶祝儀式向瘋狂投誠吧！

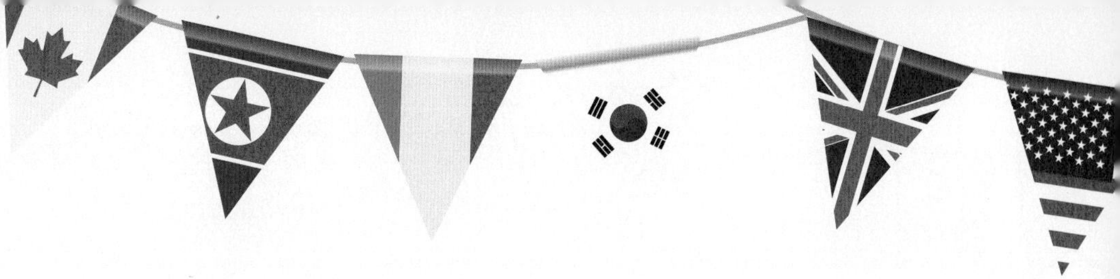

〈1月〉
・中國苗族「吃鼠節」
・韓國冰雪節
・雪梨海濱衝浪嘉年華會

〈2月〉
・中國傜族「放牛出欄日」（又名斷情日，這天須把分手情人的東西退回）
・回教齋戒日
・日本札幌雪祭
・約翰尼斯堡藝術節

〈3月〉
・中國傣族「彩蛋節」
・匈牙利、布達佩斯春之節慶
・漢城櫻花祭
・法國音樂博覽會

〈4月〉
・苗族「姐妹節」（要吃染色糯米的姐妹飯）
・緬甸潑水節
・台北貓節（4月4日）
・美國．紐奧良爵士（連續10天、4000名爵士樂手以音樂狂歡）

〈5月〉
・中國壯族「逃軍山節」
・韓國宗廟大祭
・阿姆斯特丹藍調電影節

〈6月〉
・中國布朗族「洗牛腳節」
・德國烏茲堡的莫札特音樂節
・義大利史貝婁的撒花節

〈7月〉
・中國傜族「晒衣節」、朝鮮族「洗頭節」、水族的「洗澡節」
・西班牙的奔牛節
・馬來西亞、吉隆坡的花卉節

〈8月〉
・中國傣族的「關門節」（不是要你隨手關門，而是關在家裡專心懺悔）
・阿姆斯特丹帆船日
・法國多梅安愛鎮的「睪丸節」（當天會準備八百公斤的牛畢丸應景）
・西班牙葡萄豐收節

〈9月〉
・台北狗節（9月9日前週日舉辦狗的嘉年華會）
・澳洲世界壯年節
・中國土家族的「偷瓜節」
・南非、野花季（長達230km的花園大道）
・德國品酒節

〈10月〉
・海頓愛樂節
・中國景德鎮陶瓷節
・希臘「不」紀念日（抗戰紀念日）
・英國Wembley年度馬展

〈11月〉
・泰國水燈節
・匈牙利10月革命周年紀念日（11月7日）
・比利時All Saints Hill朝聖節
・美國佛羅里達州的菊花節

〈12月〉
・耶誕節
・挪威冬祭
・美國猶他州火炬遊行日
・中國摩梭族「祭土地節」

・背後財團：PUB、俱樂部、旅行社、飯店

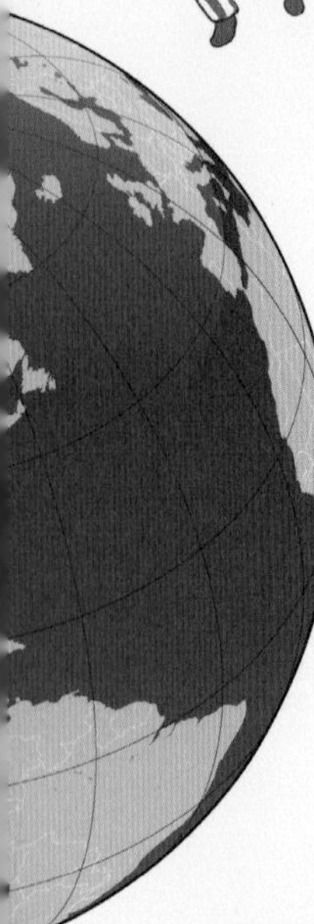

7月6日

【西班牙奔牛節】

無法出軌的獸性，血腥美麗的殺戮戰場。

西班牙奔牛節又名聖佛明節，當地人每年舉辦狂奔活動，紀念被公牛拖街至死的聖佛明先生。7月6日起七天內，每天早上8:00整，有自殺傾向者「請穿好白色衣裝，繫上紅領巾，研究好奔牛路地圖，釋放你的被虐傾向及腎上腺素，和瘋牛玩一場拼死追殺的刺激遊戲吧！（據說海明威也是天天這樣顫心驚地，跑在牛群前走過這條路！）

3月12日～19日

【瓦倫西亞的火節】

歐洲木匠為了慶祝他們的守護神「聖荷西」誕辰，花一年時間製作高十幾公尺的木偶雕像「法雅」，然後在慶典最高潮時付之一炬。消防隊在這裡沒事做，賣火柴的女孩在這裡生意好得不得了，瓦倫西亞火節這天沒有縱火的道德問題，您可以大膽的來此發洩「破壞慾」，和藝術一起浴火重生。

6月6日

【廣西傜族的曬衣節】

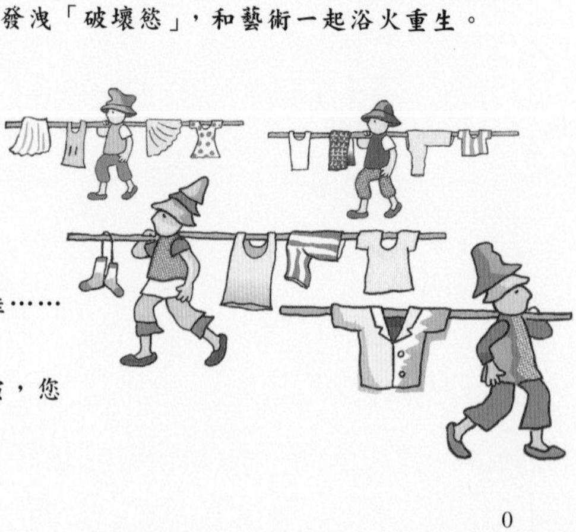

祖母衣櫃復活，舊衣不死，只是輪迴。

6月6日，廣西桂平縣的傜族。

在今天會把家中所有的舊衣、舊帽、舊鞋……通通搬到街上清倉曝曬。

這種衣物大規模離開身體的街頭服裝表演，您和慈濟舊衣收集車都不能錯過！

1月16日

【中國錫伯族的抹黑節】

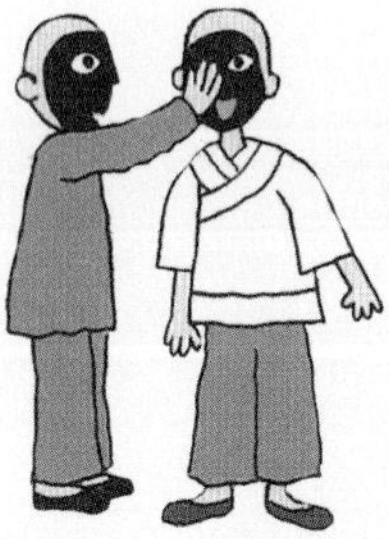

栽贓無罪，抹黑有理！

「抹黑」可不是立法院的專利，早在新疆、遼寧一帶，每逢正月十六日黎明，錫伯族人便挨家挨戶向對方臉上抹黑，傳說是因為以前有人太浪費了，把珍貴的麵餅拿去餵狗，觸怒了天神。錫伯族人害怕天神將麥子變成黑丹的懲罰，便先向自己的臉上抹黑，以表示懺罪。怕誰向你復仇？請先用敷臉的黑泥把自己抹黑吧！

【西非矛利塔尼亞的求愛節】

不必參加相親節目，這裡是合法又公開的愛情市場。

愛她嗎？先跳一段挑逗的求愛舞，再用手拍拍她的腹部。只要她回應，你們就可以當場上台。讓酋長主持結婚儀式……

省掉戀愛到結婚中間的猜忌、傳話、曖昧、迂迴、提親、合婚、訂婚……的繁複過程，公開招標「一見鍾情」，以麥當勞還速食！

2月中旬起

【威尼斯嘉年華會】

源自古羅馬時代的農神節

一年一度、古威尼斯共和國的嘉年華會，現在開始！

所有在享樂世紀長大的伊比鳩魯弟子們，請戴上面具改變階級，

穿上異教徒的裝扮從天使旁走過！

狼吞虎嚥、借酒裝瘋，放肆地街舞

盡情享受舉目無親的犯罪自由吧！

・背後財團：占星術光碟、書籍、
占星網站、感情諮詢單位、生命線……

預言國

催眠回到前世，
向塔羅牌問明天的運勢，
從水晶球看自己的將來，
未來的密碼已經寫在聖經裡。

末日將近，上帝遲遲不來，
只要不向撒旦頂禮膜拜，
業餘學一點紫微，看一點星象，通一點靈，
練一點氣功，說一點預言，會一點鐵板神算，
做一個善良的女巫，聰明的先知，
或是有魔力的男天使，
可以讓你逢凶化吉，普渡眾生。

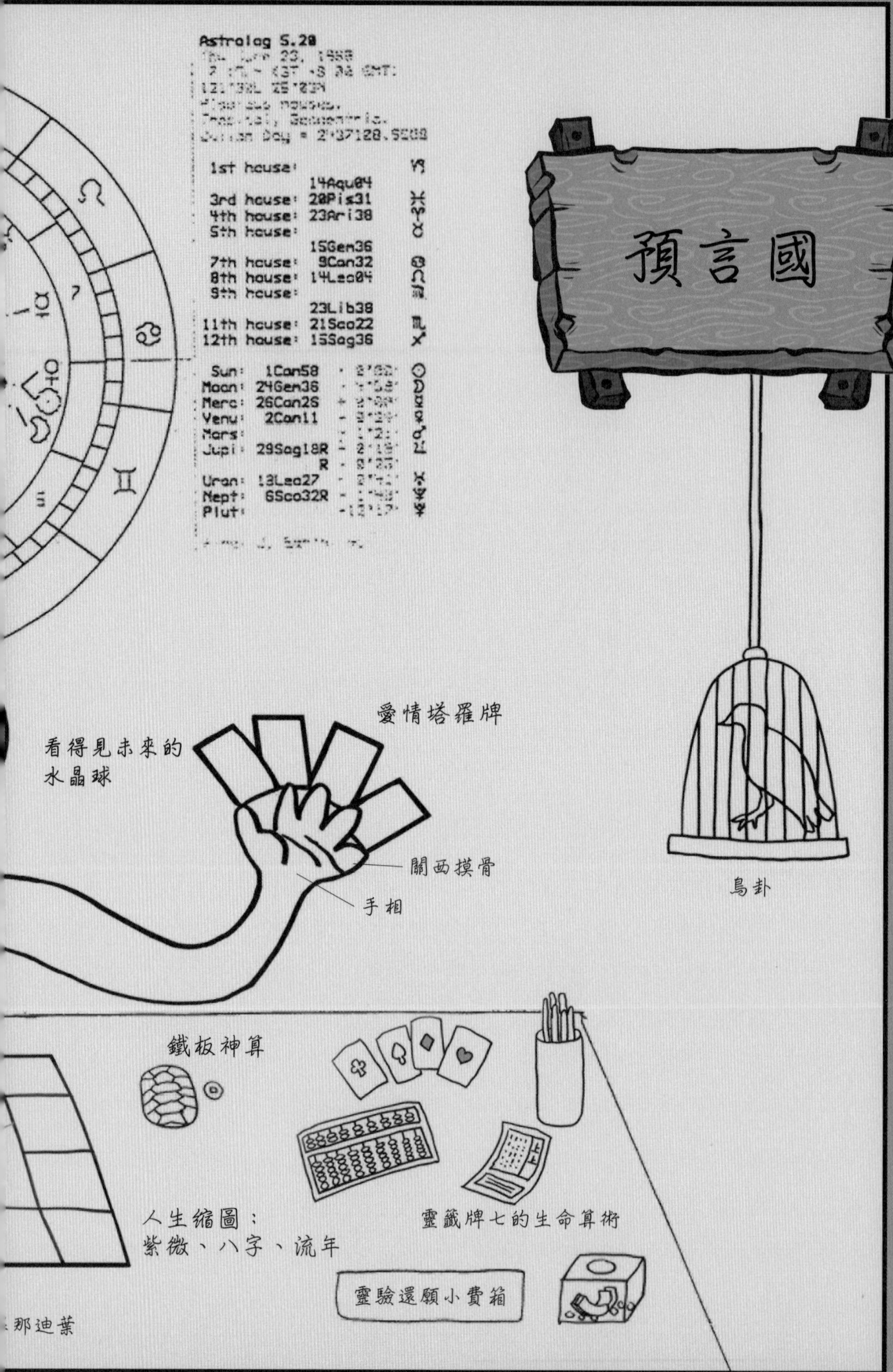
Astrolog 5.20
1st house:
14Aqu04
3rd house: 20Pis31
4th house: 23Ari38
5th house:
15Gem36
7th house: 9Can32
8th house: 14Leo04
9th house:
23Lib38
11th house: 21Sco22
12th house: 15Sag36
Sun: 1Can58
Moon: 24Gem36
Merc: 26Can25
Venu: 2Can11
Mars:
Jupi: 29Sag18R
R
Uran: 13Leo27
Nept: 6Sco32R
Plut:
預言國
愛情塔羅牌
看得見未來的
水晶球
關西摸骨
手相
鳥卦
鐵板神算
人生縮圖：
紫微、八字、流年
靈籤牌七的生命算術
靈驗還願小費箱
那迪葉

- 易經
- 周呂望乾坤萬年歌
- 蜀漢諸葛丞相馬前課
- 推背圖
- 李淳風藏頭詩

- 催眠術
- 梅花詩
- 燒餅歌
- 黃蘗禪師詩
- 占星術

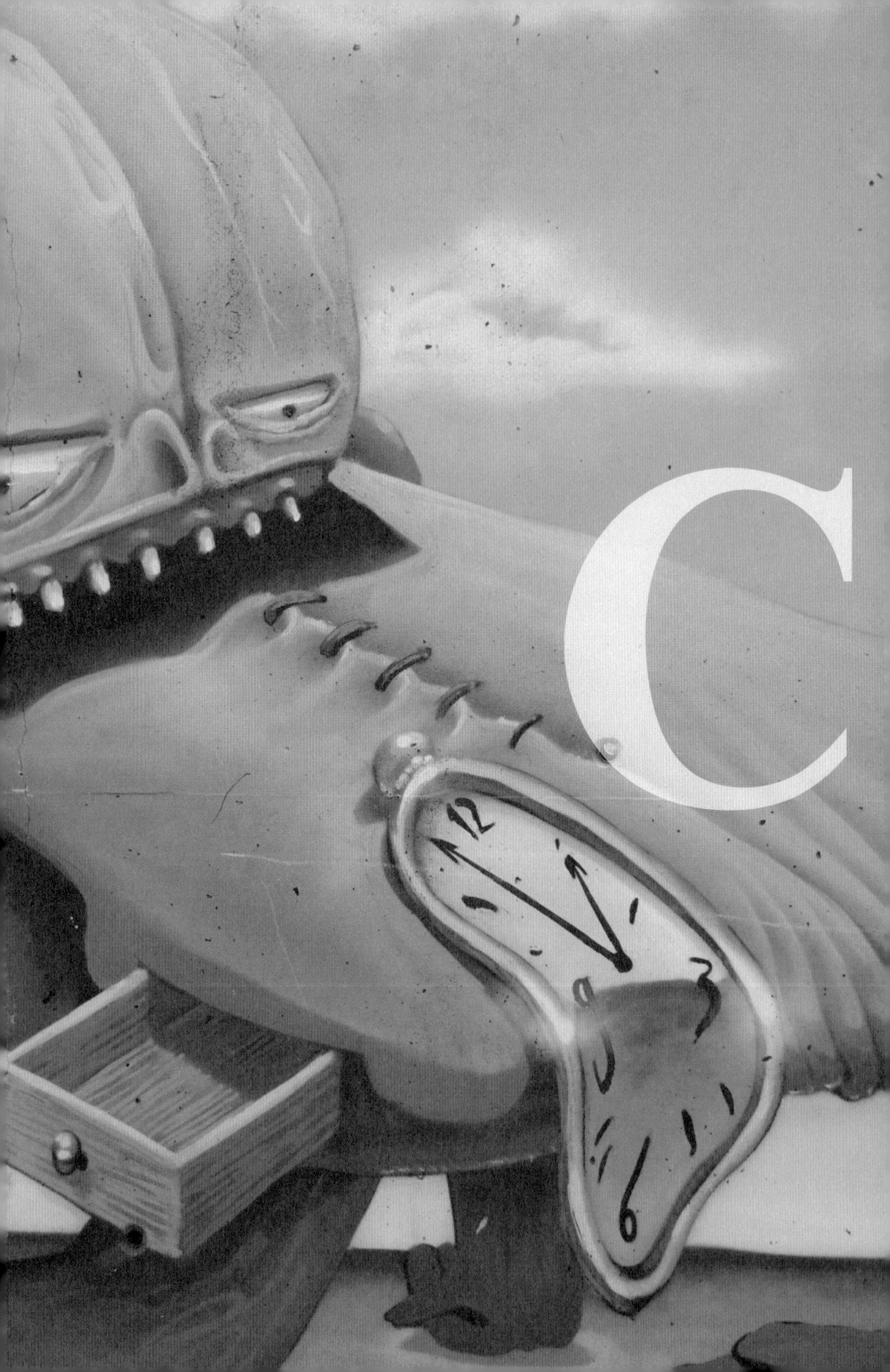
C

時

【時間・流亡】

音樂國
失眠國
詩人國
一小時國家

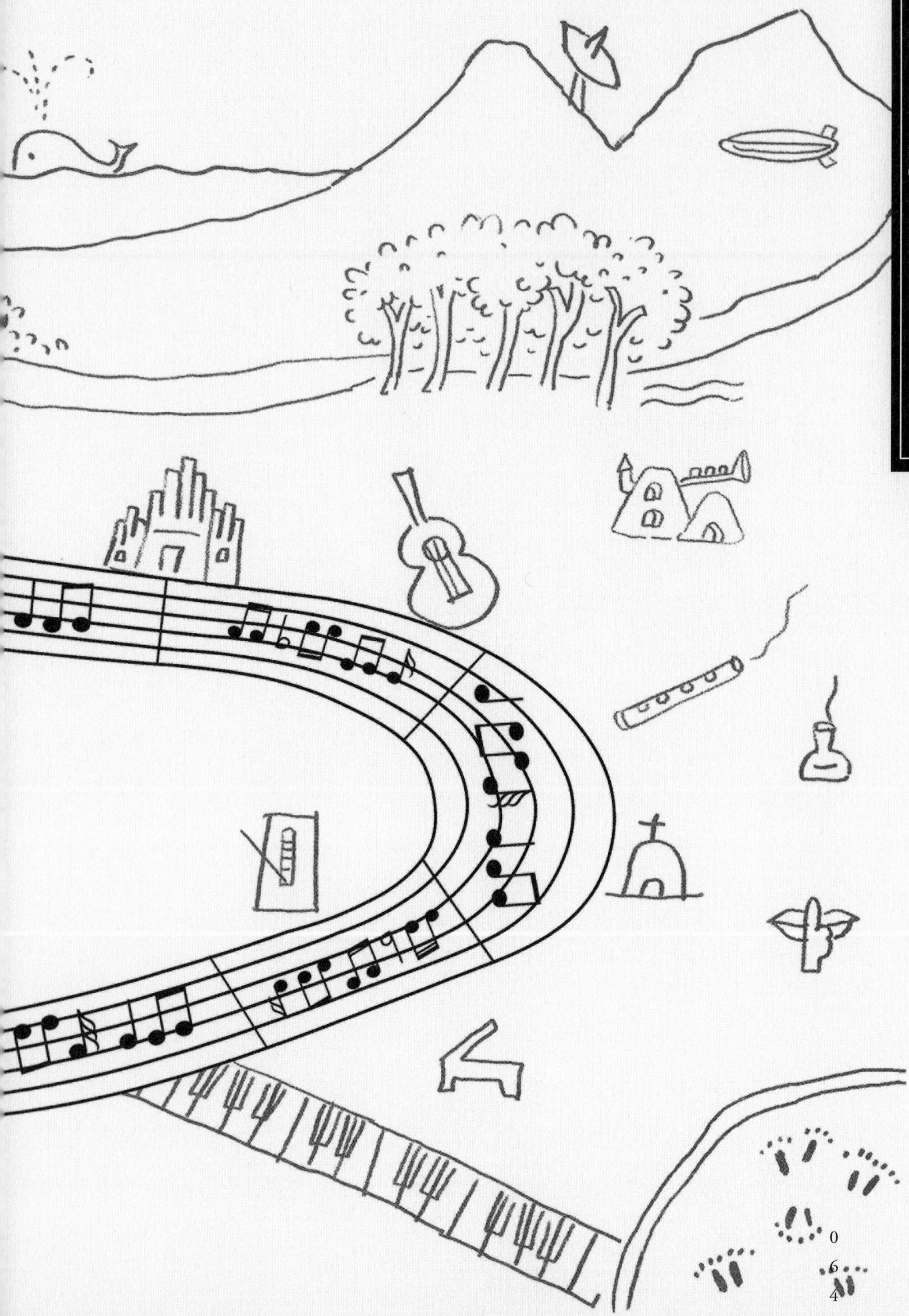

音樂國

在子宮裡聽到莫札特，
笛聲取代喇叭，交響曲取代城市噪音，
非洲鼓聲取代刺耳的警報，
大家以歌聲溝通，歌劇在日常生活中演出——
音樂，
是我們最悅耳的環境。

樂譜在每個音樂國公民的身體裡，
隨時發聲。
每個人要專精一種以上的樂器，
一生至少開一次個人演唱／演奏會，
音樂細胞，藉著音符大量感染，
已經蔓延了整個國家。

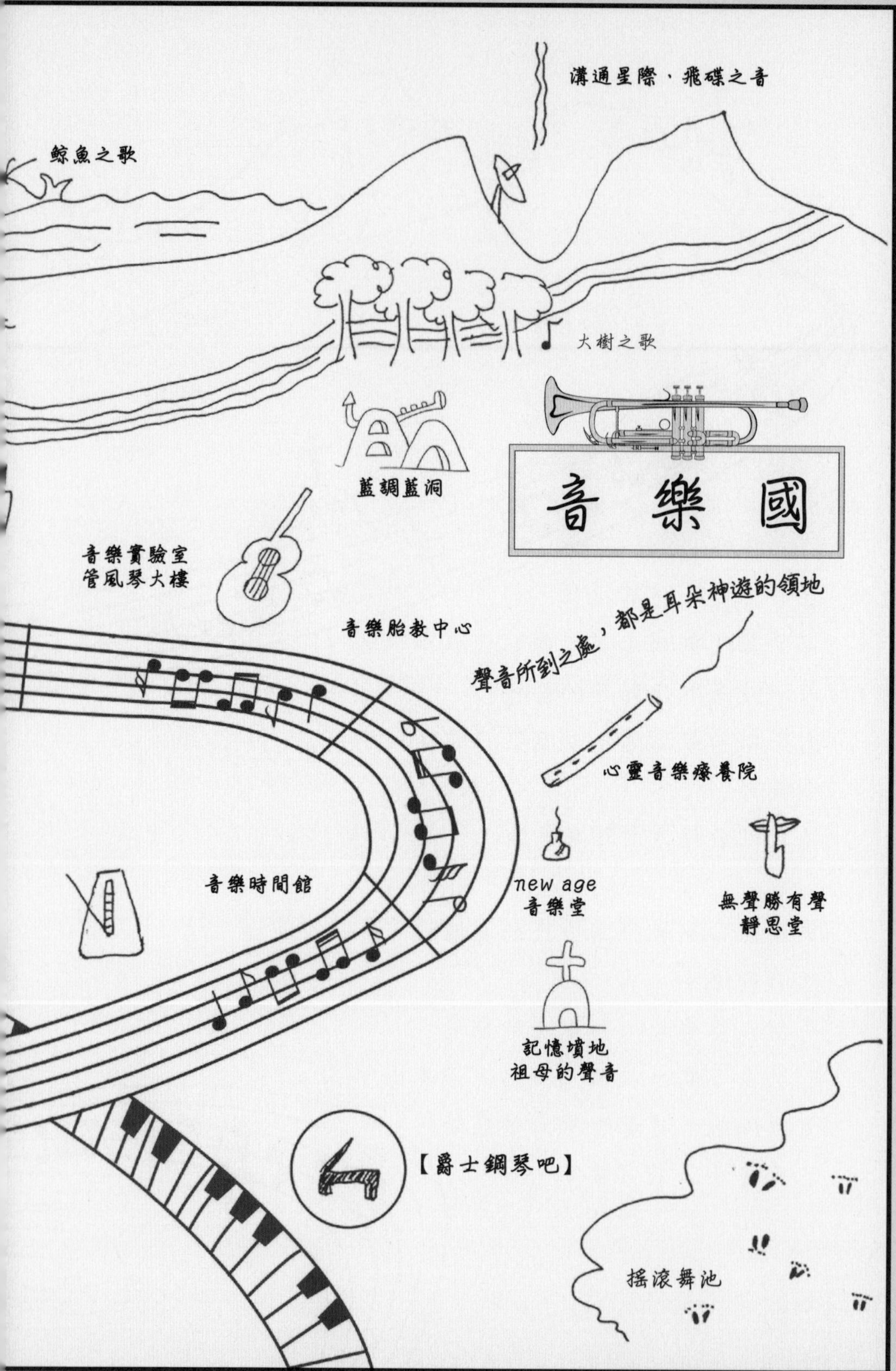

溝通星際．飛碟之音
鯨魚之歌
大樹之歌
藍調藍洞
音樂國
音樂實驗室
管風琴大樓
聲音所到之處，都是耳朵神遊的領地
音樂胎教中心
心靈音樂療養院
音樂時間館
new age
音樂堂
無聲勝有聲
靜思堂
記憶墳地
祖母的聲音
【爵士鋼琴吧】
搖滾舞池

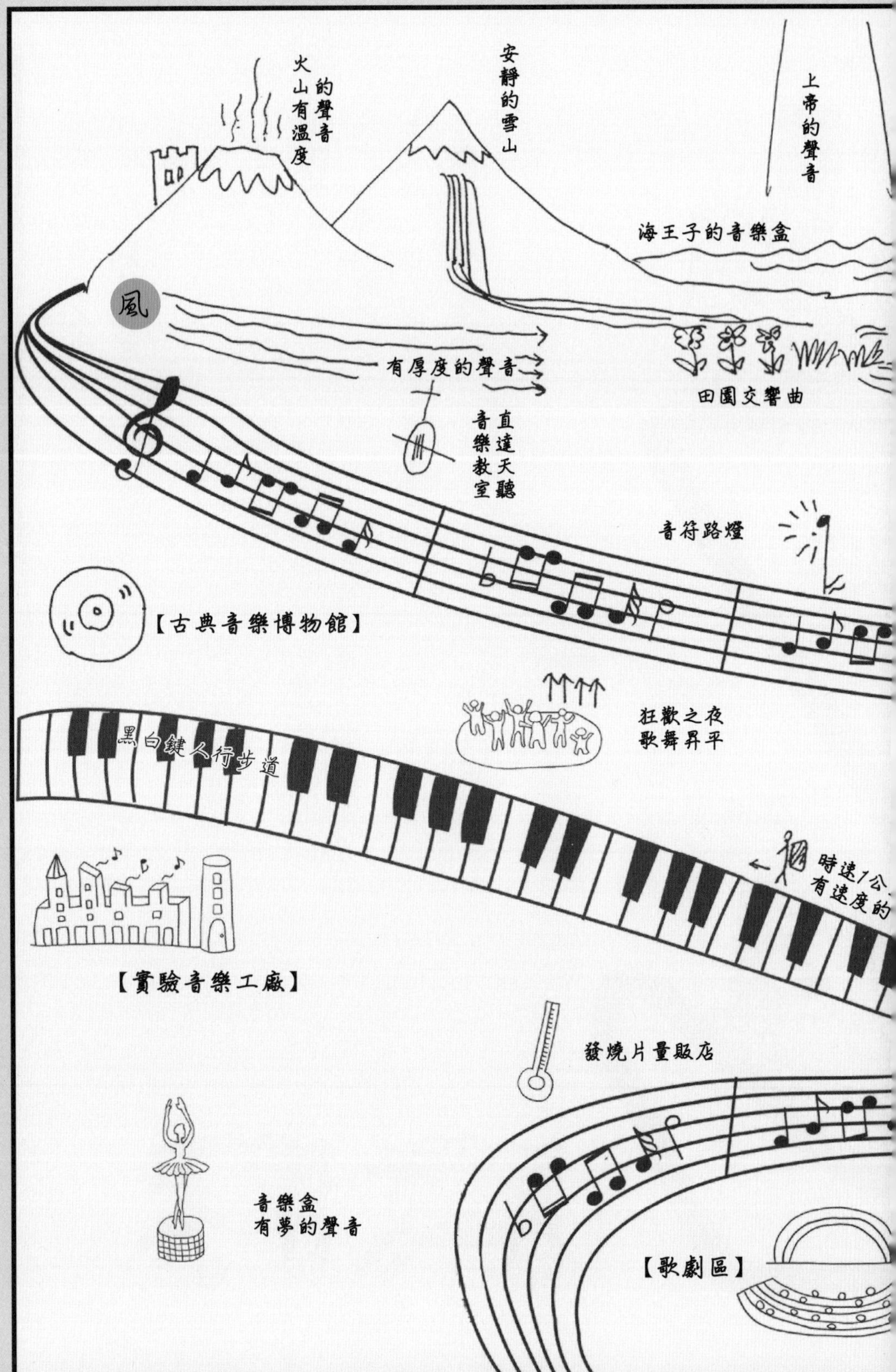
火山有溫度的聲音
安靜的雪山
上帝的聲音
海王子的音樂盒
風
有厚度的聲音
田園交響曲
直達天聽
音樂教室
音符路燈
【古典音樂博物館】
狂歡之夜
歌舞昇平
黑白鍵人行步道
時速1公
有速度的
【實驗音樂工廠】
發燒片量販店
音樂盒
有夢的聲音
【歌劇區】

有人不想睡，有人睡不著。
連續數夜，輾轉難眠，
惡夢連連。

吃褪黑激素怕後遺症，
吃安眠藥怕一睡不醒，
乾脆眾人皆醉我獨醒，
享受失眠多出來的幾個小時清淨，
聽音樂、禪修、看書、寫字、工作、上網、打e-mail……

・背後財團：床、枕被專賣店

別人委靡不振地昏睡，只有你清醒地加班。
不必長壽，
足足比別人多活了⅓的人生。
在這裡，你的失眠變成了睡不著的幸福。

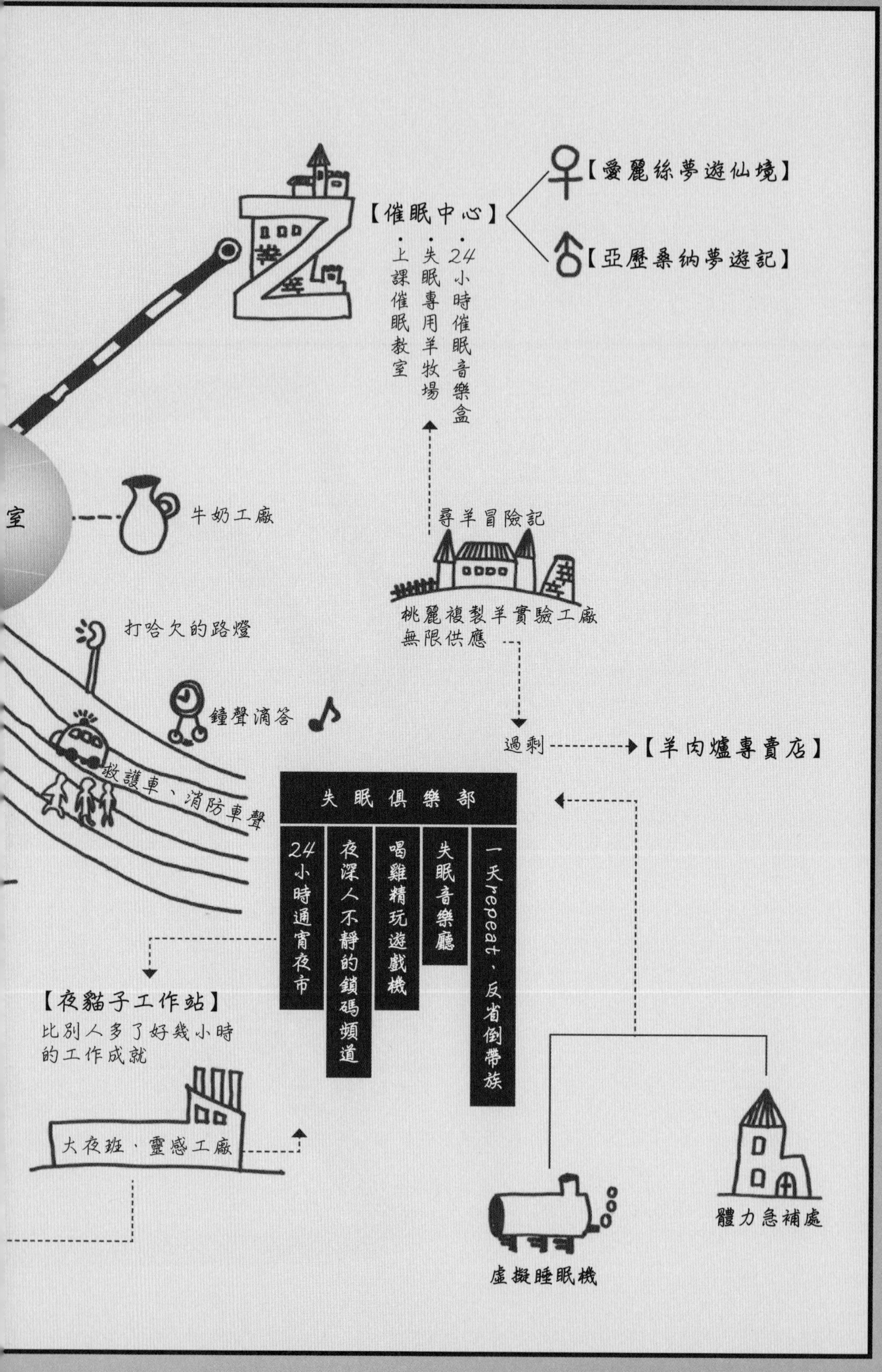

室
【催眠中心】
・24小時催眠音樂盒
・失眠專用羊牧場
・上課催眠教室
【愛麗絲夢遊仙境】
【亞歷桑納夢遊記】
牛奶工廠
尋羊冒險記
桃麗複製羊實驗工廠
無限供應
過剩
【羊肉爐專賣店】
打哈欠的路燈
鐘聲滴答
救護車、消防車聲
失眠俱樂部
一天repeat、反省倒帶族
失眠音樂廳
喝雞精玩遊戲機
夜深人不靜的鎖碼頻道
24小時通宵夜市
【夜貓子工作站】
比別人多了好幾小時
的工作成就
大夜班、靈感工廠
虛擬睡眠機
體力急補處

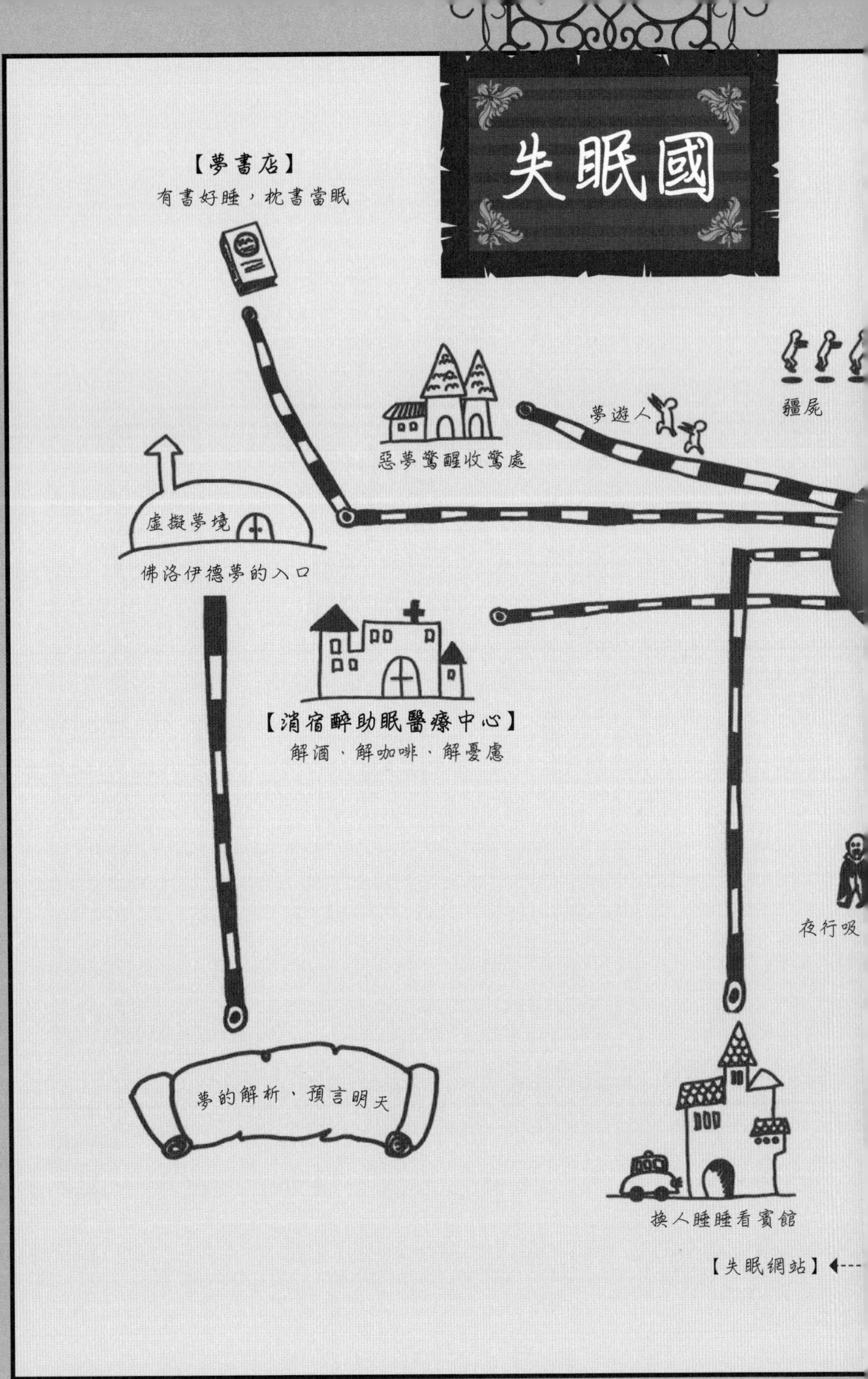
失眠國
【夢書店】
有書好睡，枕書當眠
惡夢驚醒收驚處
夢遊人
殭屍
虛擬夢境
佛洛伊德夢的入口
【消宿醉助眠醫療中心】
解酒、解咖啡、解憂慮
夜行吸
夢的解析、預言明天
換人睡睡看賓館
【失眠網站】

詩人國

在智慧失血，辭藻飢荒多年後，
詩開始文藝復興。
比比皆詩，人人迷詩的年代，
讓詩人從貧民翻身成富豪。

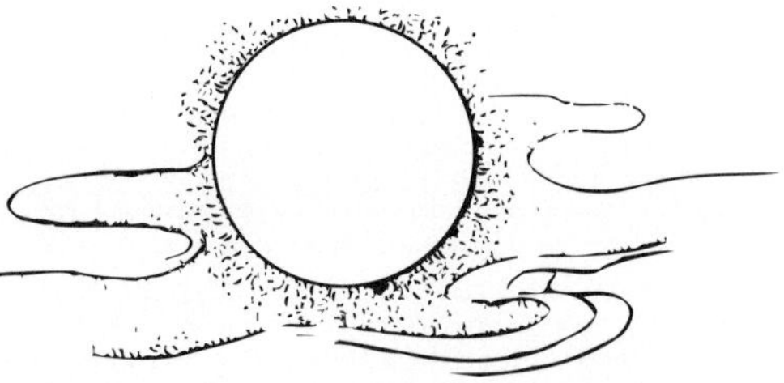

朝詩暮想，有詩無恐。

茶不詩則飯不想，萬無一詩，

為詩付出青春心力的人，

都將入閣。

國家給詩人優渥的津貼，僕役一打，

司機一名，經紀人兩名，

每個企業必須認養一位詩人，

並且將大道上的所有建築，以詩為名。

詩心自用，一字萬金的詩可以當貨幣交易：

憑詩吃飯，憑詩消費一件蠶絲大衣，

靈感源源不絕，出口成篇的人，

終將詩至名歸。

・背後財團：詩社、詩集出版社、青年詩人協會

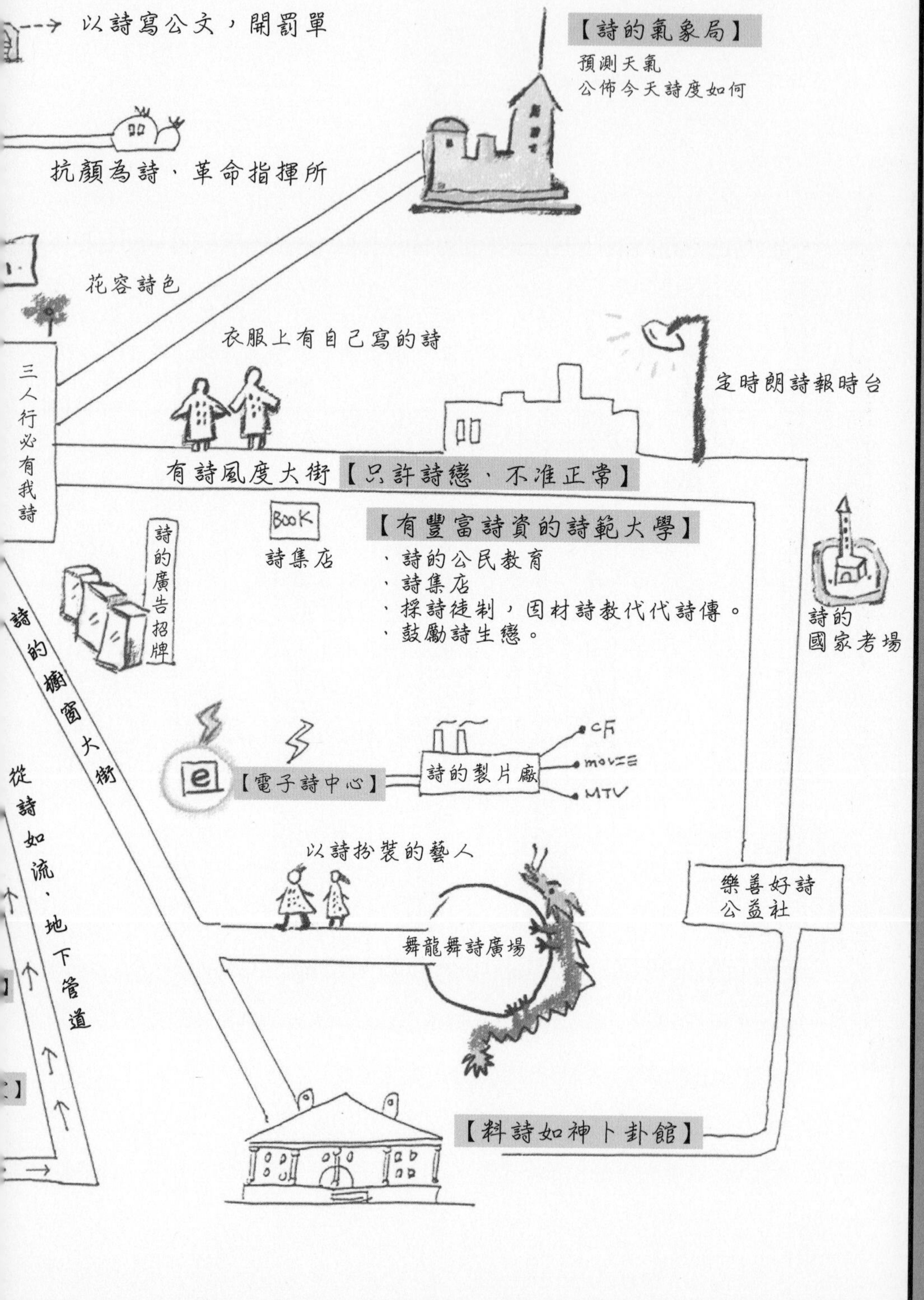
以詩寫公文，開罰單
【詩的氣象局】
預測天氣
公佈今天詩度如何
抗顏為詩、革命指揮所
花容詩色
衣服上有自己寫的詩
三人行必有我詩
定時朗詩報時台
有詩風度大街【只許詩戀、不准正常】
BOOK
詩集店
【有豐富詩資的詩範大學】
、詩的公民教育
、詩集店
、採詩徒制，因材詩教代代詩傳。
、鼓勵詩生戀。
詩的廣告招牌
詩的國家考場
詩的櫥窗大街
【電子詩中心】
詩的製片廠
CF
movie
MTV
從詩如流、地下管道
以詩扮裝的藝人
樂善好詩公益社
舞龍舞詩廣場
【料詩如神卜卦館】

詩人國

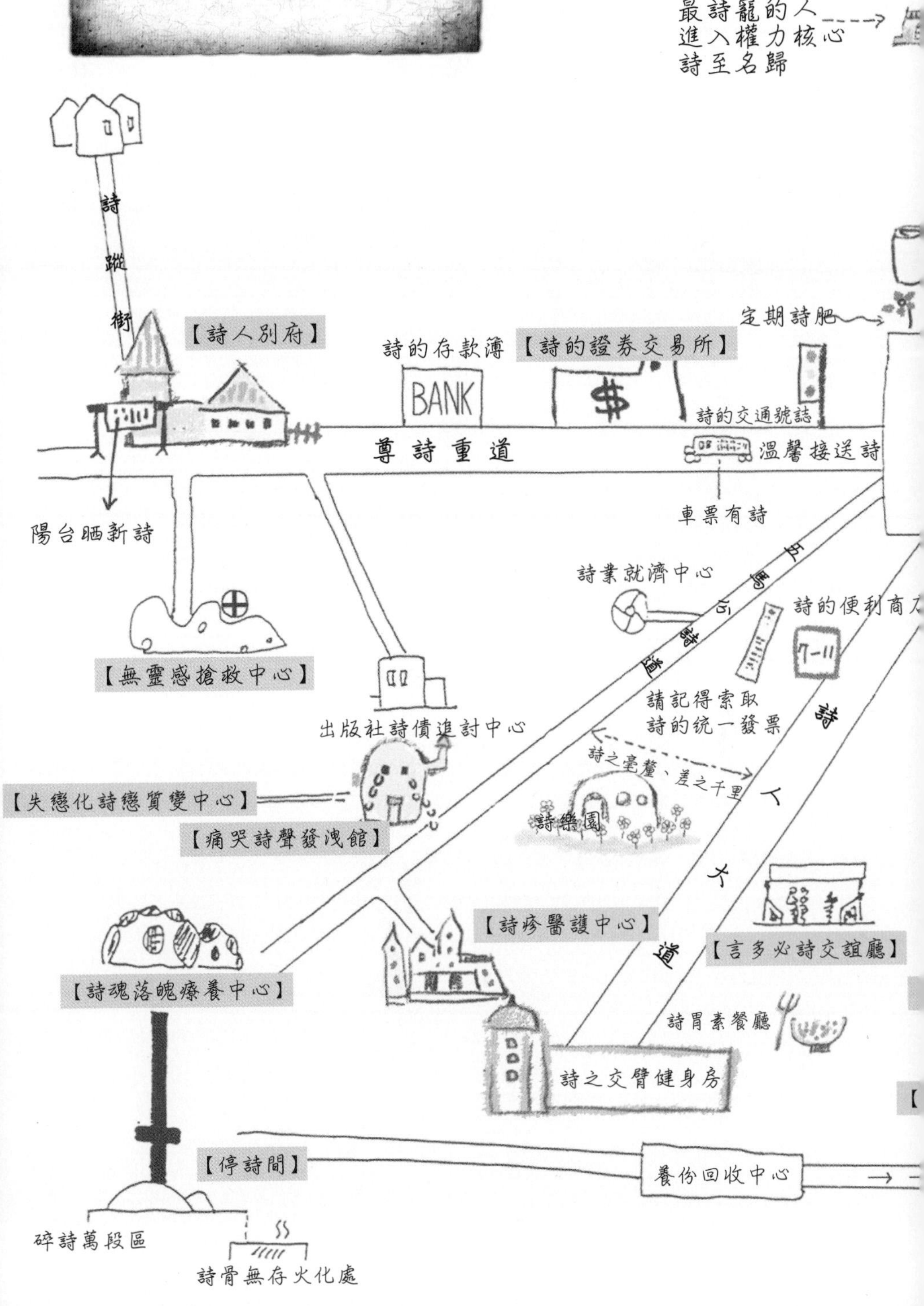
最詩寵的人
進入權力核心
詩至名歸
詩蹤街
【詩人別府】
詩的存款簿
【詩的證券交易所】
BANK
定期詩肥
詩的交通號誌
尊詩重道
溫馨接送詩
陽台晒新詩
車票有詩
五馬分詩道
詩業就濟中心
詩的便利商
7-11
【無靈感搶救中心】
請記得索取
詩的统一發票
詩人大道
出版社詩債追討中心
詩之毫釐、差之千里
【失戀化詩戀質變中心】
詩樂園
【痛哭詩聲發洩館】
【詩疹醫護中心】
【言多必詩交誼廳】
【詩魂落魄療養中心】
詩胃素餐廳
詩之交臂健身房
【停詩間】
養份回收中心
碎詩萬段區
詩骨無存火化處

一小時國家

佛經曰：

一彈指含二十瞬、一瞬二十念，

一念含九十剎那，一剎那含九百生滅。

用來測量時間的工具很多，如日晷、手錶、月曆、日曆、時鐘、懷錶、鬧鐘、砂漏、節拍器、音樂鐘、太陽能鐘、電子鐘。

一百個時鐘在一百個櫥窗，有一百種不同的情緒刻度，各有時差，

一時之間，青春換衰老。

達爾文說：一個會浪費一小時的人，就是還沒找到生命的意義。

時間是很貴的ROLEX，為了瞭解一小時，

你必須在一小時國家，待上一小時。

・背後財團：鐘錶業。

一小時國家

一小時之內。人類從起源演化至一個國家。綽綽有餘

借來的一小時。拍電影的一小時。快轉的一小時。快門的一小時。

曝光的一小時。布烈松連續拍攝的一小時。營業員心理的一小時。效率的一小時。

激情的一小時。高潮的一小時。跳躍的一小時。冷感的一小時。忘了時間的一小時。

台北的一小時。被時間奴役的一小時。在家的一小時。火候的一小時。

旅行的一小時。威尼斯的一小時。狂歡的一小時。被窺視的一小時。

光走後的一小時。

船的一小時。水的一小時。直線的一小時。有方向的一小時。殖民的一小時。

桃花源迷失的一小時。失憶的一小時。找出口的一小時。伊甸園的一小時。

渡假的一小時。被按摩的一小時。富有的一小時。皇族的一小時。

有權力的一小時。虛榮的一小時。貧窮的一小時。浮士德的一小時。

喝醉的一小時。墮落的一小時。

有音樂的一小時。思考的一小時。倒轉的一小時。過去的一小時。

當下的一小時。

自然演化的一小時。坐禪的一小時。動的一小時。

不動的一小時。無效的一小時。

沉睡的一小時。醒來的一小時。創造力旺盛的一小時。

文明的一小時。

國際的一小時。二〇五〇年未來的一小時。

電腦虛擬的一小時。有錢就有時間玩的一小時。

格林威治換日線上的一小時。星際的一小時。男人的一小時。

女人的一小時。

中性的一小時。偽裝的一小時。神話的一小時。願望的一小時。

想像的一小時。有空間的一小時。有味道的一小時。

灰姑娘12：00以前的一小時。

羅密歐與朱麗葉生死關鍵的一小時。轉換身份的一小時。戲劇的一小時。

戰爭的一小時。被綁架的一小時。災難的一小時。被螞蟻啃蝕的一小時。

發霉的一小時。痛苦的一小時。天冷的一小時。天熱的一小時。

融化的一小時。

消耗的一小時。緩慢的一小時。趕不上的一小時。等待的一小時。殺時間的一小時。

煩燥的一小時。恐懼的一小時。獨處的一小時。絕望的一小時。生病的一小時。

致命的一小時。臨終的一小時。無知覺的一小時。因果的一小時。

死亡的一小時。無止盡的一小時。永恆的一小時。入定的一小時。涅槃的一小時。

漫長一生，體驗一小時就夠了。

D

地

【地域・解構】

空間國
藝術國
飛行國
不夜國

有潔癖的人決定自己生產氧氣、葉綠素、和芬多精。

自閉的人利用太陽能自給自足，過繭居的生活。

工作狂的人把辦公室搬進屋內日夜加班。

瞎拚女郎裝了虛擬衣櫃，用眼力取代腳力。

衝浪的男子在海的微型浴池繼續冒險。

有風溼症的爺爺待在溫泉室就不出來了。

幻想症者只要開一扇天窗，她就痊癒。

夢幻料理人有了魔術廚房，就可以終老一生。

建築師拒絕制式大樓，依自己的慾望規格畫自己的藍圖。

裝了虛擬性愛的床，浪子回家了。

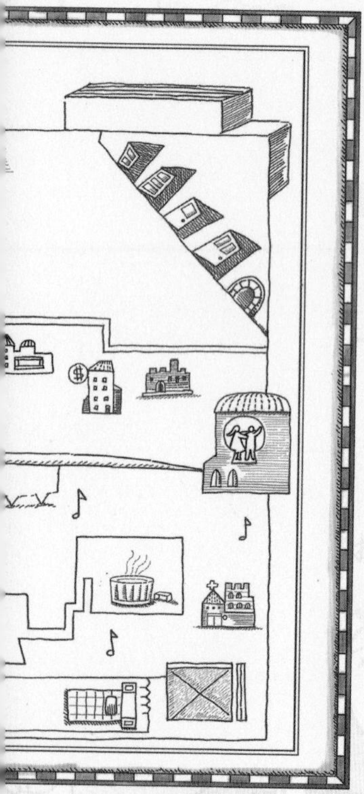

空間國

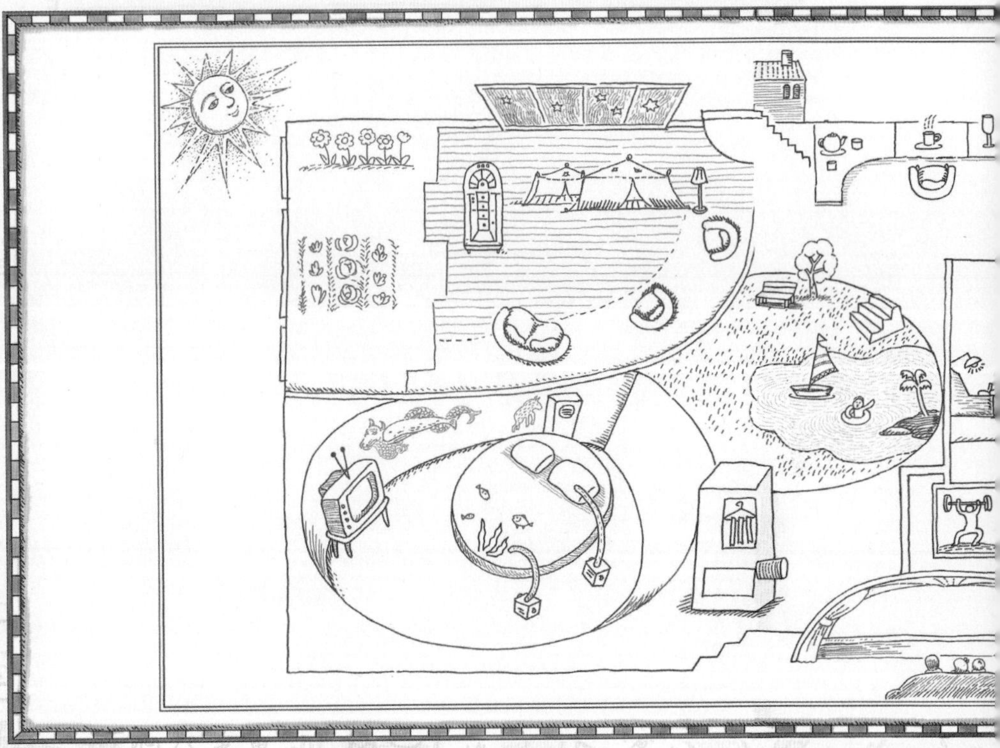

・背後財團：建設公司、室內裝潢公司、傢俱傢飾公司

國

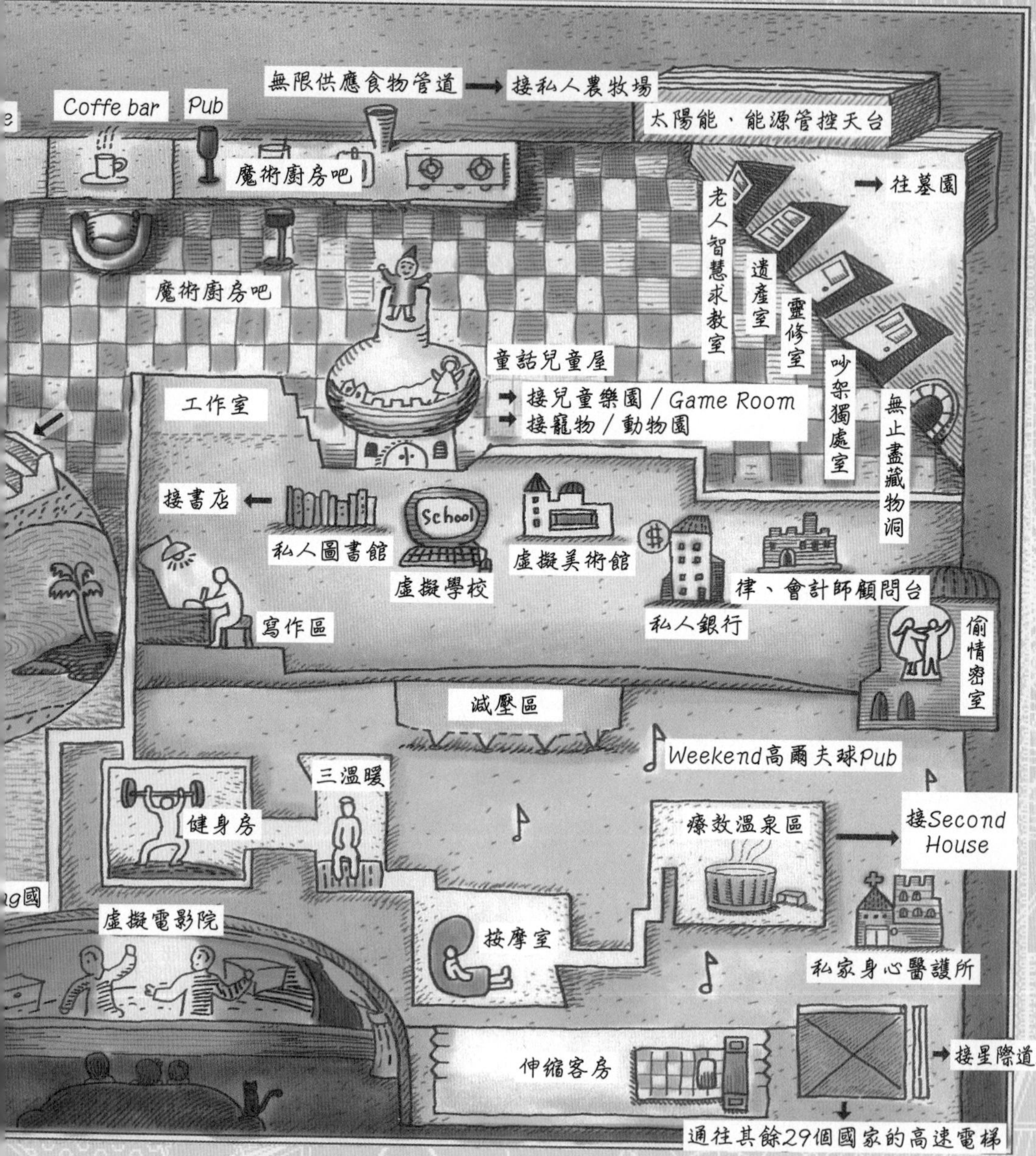

無限供應食物管道
接私人農牧場
Coffe bar
Pub
太陽能、能源管控天台
魔術廚房吧
往墓園
魔術廚房吧
老人智慧求教室
遺產室
靈修室
吵架獨處室
無止盡藏物洞
童話兒童屋
工作室
接兒童樂園／Game Room
接寵物／動物園
接書店
School
私人圖書館
虛擬學校
虛擬美術館
私人銀行
律、會計師顧問台
寫作區
偷情密室
減壓區
Weekend高爾夫球Pub
三溫暖
健身房
療效溫泉區
接Second House
虛擬電影院
按摩室
私家身心醫護所
伸縮客房
接星際道路
通往其餘29個國家的高速電梯

依太陽行徑軌道，配合主人使用空間順序
看星星的天窗
設計免人工光源的住屋
出入口
觀景落地窗
室內溫室花房
舞台式的節慶客廳
私家賭場
節慶式的交誼廳
自給自足的菜圃
自然的縮型模型
觀看家人的地方
迷你公
催眠機
洞穴壁畫
催情儀板
可爬樹的自由
情慾電視
偷窺
虛擬衣櫃
想像的陽台
控溫水床
乾洗口
解夢機
早餐
洞穴式的慾望主臥
虛擬性愛機

空

藝術國

在這個完全沒美學素養的城市，
到處充滿壞品味的建築、橋、與建設。
藝術家另謀生路，作品被逼到角落的美術館自生自滅。
愈來愈醜的環境，明天怎麼可能會更好？

・背後財團：藝廊、美術館、小劇場、藝術團體、音樂廳、戲劇廳……

慘不忍睹的街景，讓藝術家忍無可忍，
決定打開都市地圖，發動階級革命，
每位藝術家專攻一區，大規模屠殺不良品味，
以藝術收復城市。

光復在即，
請立即昇華你低迷已久的美感，
刻不容緩。

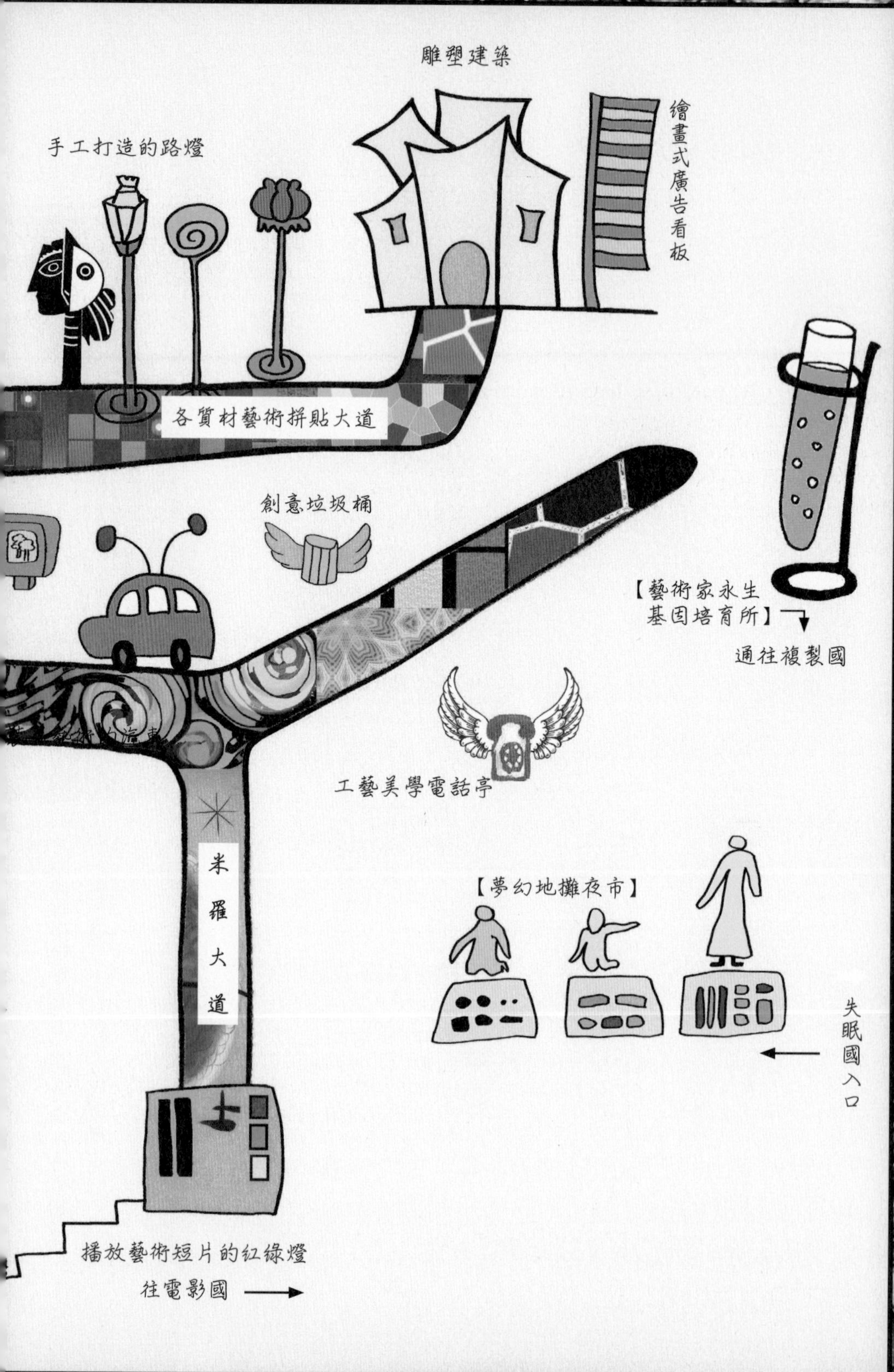
雕塑建築
手工打造的路燈
繪畫式廣告看板
各質材藝術拼貼大道
創意垃圾桶
【藝術家永生
基因培育所】
通往複製國
工藝美學電話亭
米
羅
大
道
【夢幻地攤夜市】
失眠國入口
播放藝術短片的紅綠燈
往電影國

藝術國

這裡的萬事萬物，
都是獨一無二的藝術品

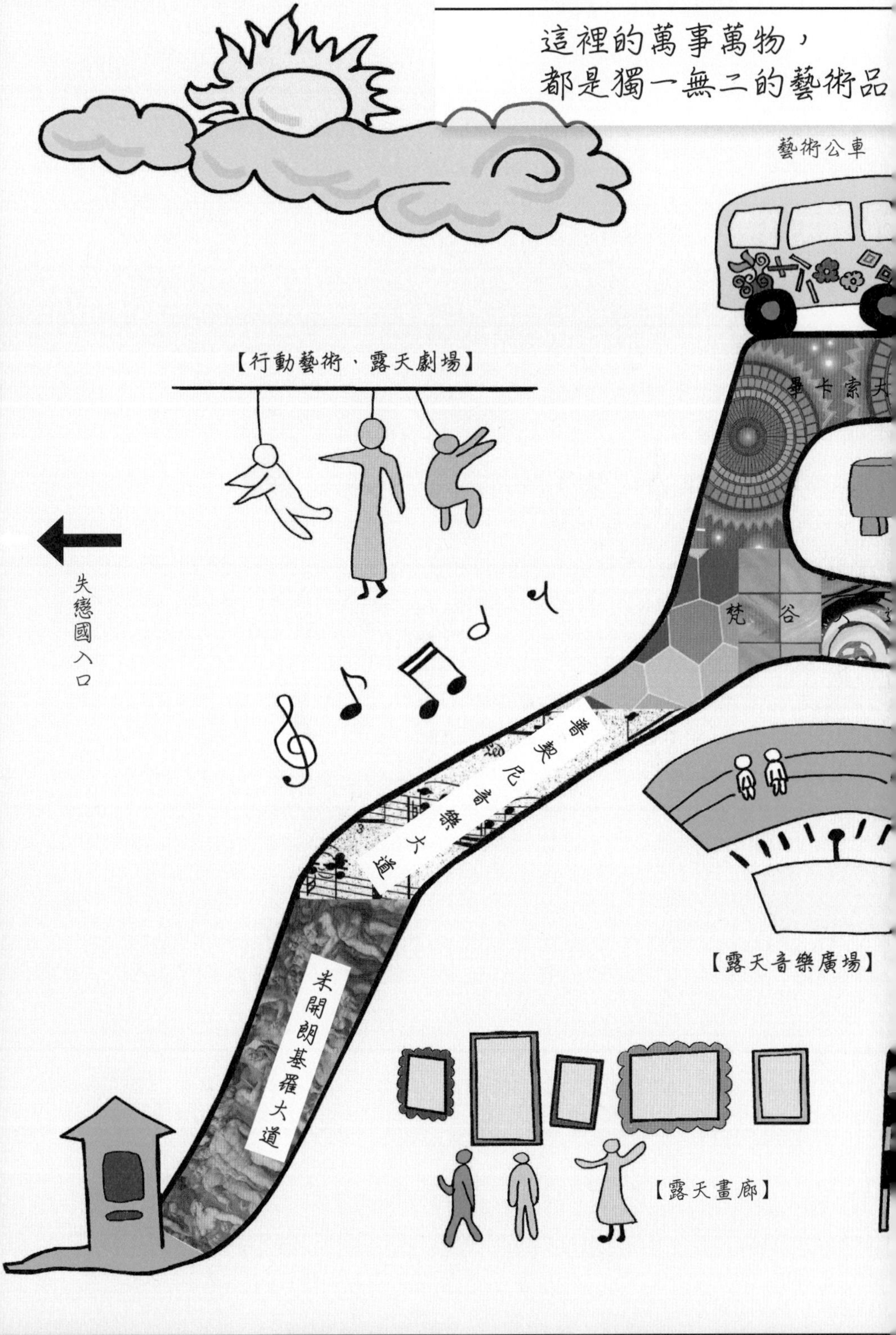

X情人有愛。
天使有翼。
魔鬼有翅。
女巫有掃帚。
所有人的夢都睡在空中。
穿上太空人的裝備，選一個飛行器，

飛

以米蘭昆德拉的輕盈鳥瞰人間，
藉著孟德爾頌歌聲浮力躍過大氣層。

用想像力對抗地心引力，
不帶超重的行李，
快速地離開高重力的現實，
能飛，就有自由。

・背後財團：航空公司、高空彈跳、神話叢書、有摩天輪的兒童樂園

的不只是天使！

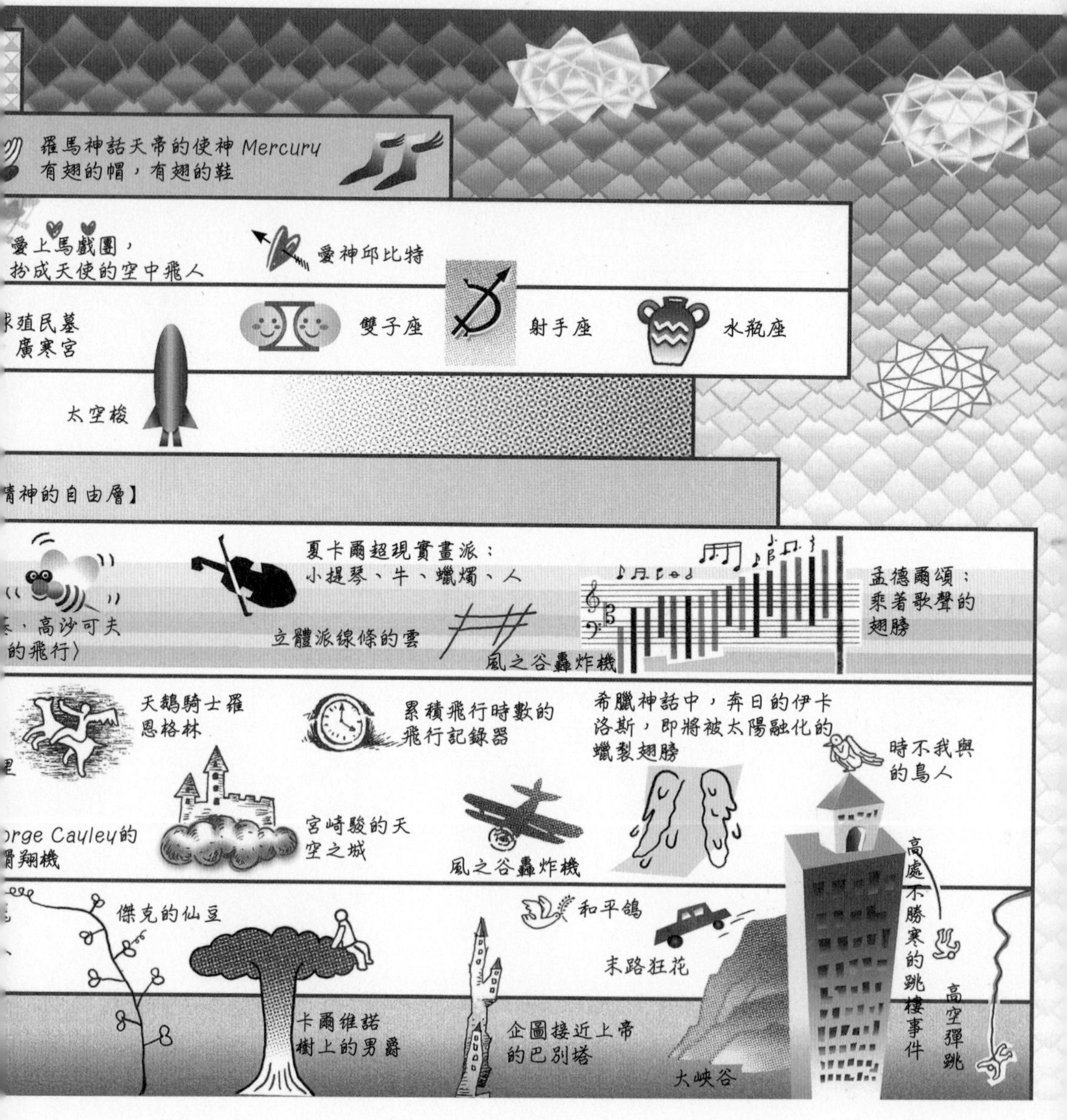
羅馬神話天帝的使神 Mercury
有翅的帽，有翅的鞋
愛上馬戲團，
扮成天使的空中飛人
愛神邱比特
求殖民墓
廣寒宮
雙子座
射手座
水瓶座
太空梭
精神的自由層】
夏卡爾超現實畫派：
小提琴、牛、蠟燭、人
高沙可夫
的飛行〉
立體派線條的雲
風之谷轟炸機
孟德爾頌：
乘著歌聲的
翅膀
天鵝騎士羅
恩格林
累積飛行時數的
飛行記錄器
希臘神話中，奔日的伊卡
洛斯，即將被太陽融化的
蠟製翅膀
時不我與
的鳥人
orge Cayley的
滑翔機
宮崎駿的天
空之城
風之谷轟炸機
高處不勝寒的跳樓事件
傑克的仙豆
和平鴿
末路狂花
卡爾維諾
樹上的男爵
企圖接近上帝
的巴別塔
大峽谷
高空彈跳

我們都飛起來

【天堂＆極樂世界】
……到另一個世界，遠離人間是非
【神話的天空】，舉頭三尺有神明
【帶翼的天使層】
想下凡的X情人
慾望之翼：憂鬱的
小王子的星球
充滿ID4、ET、
異形、UFO的外太空
【寓言的天空】
安徒生童話、辛巴達的飛人、伊索寓言飛的想像、天方夜譚式的
文學靈感的飛行：米蘭昆德拉：生
命中不能承受之輕
巴比倫亞述王朝的
人面雙翼牛身守護神
馬奎斯：坐床單的
美女：瑞米迪娥
東
方
飛
天
彩
帶
莫
的
阿美族飛人
馬維魯
黃帝的玄女信使
視野3萬5千英里
的空中小姐
馬奎斯：不能飛行
巨翼老人
載著ET的自
宮崎駿的紅豬
為了不讓老婆發現，Jupiter化身雲和
Io做愛。
飛翔式的性愛
雲霄飛車．顛倒
眾生、天地旋轉
法國Mongofier
兄弟發明的熱氣
球，鳥瞰人間
達文西的
飛行器
蝙蝠
魔女宅急便
The Falling Angels
梁祝雙飛蝴蝶
歌德式教堂
的飛扶壁
童話說，天使要走的時候，
把翅膀卸下，送給了蒲公英

不夜國

景氣低迷不醒，盛世遙遙無期。
白天是老闆的，是客戶的，
只有晚上是自己的。

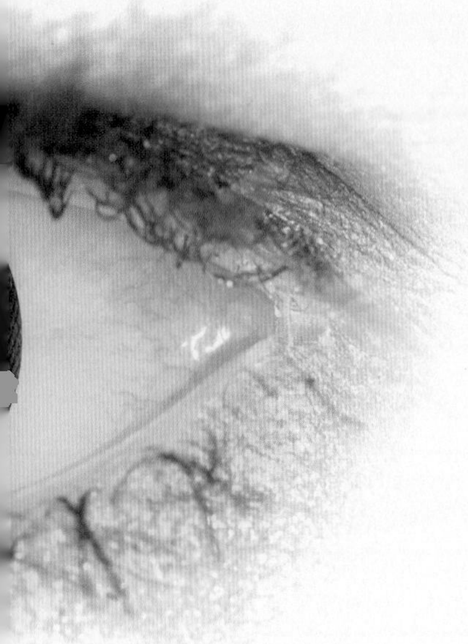

犧牲睡眠換取自由，
賭博、交際、網路、尋歡、一夜情、
創作、墮落……
只要找對享樂的天堂，
晚上就有你放肆的假。

・背後財團：PUB、賭場、深夜電台、網站、HOTEL、燈具公司……

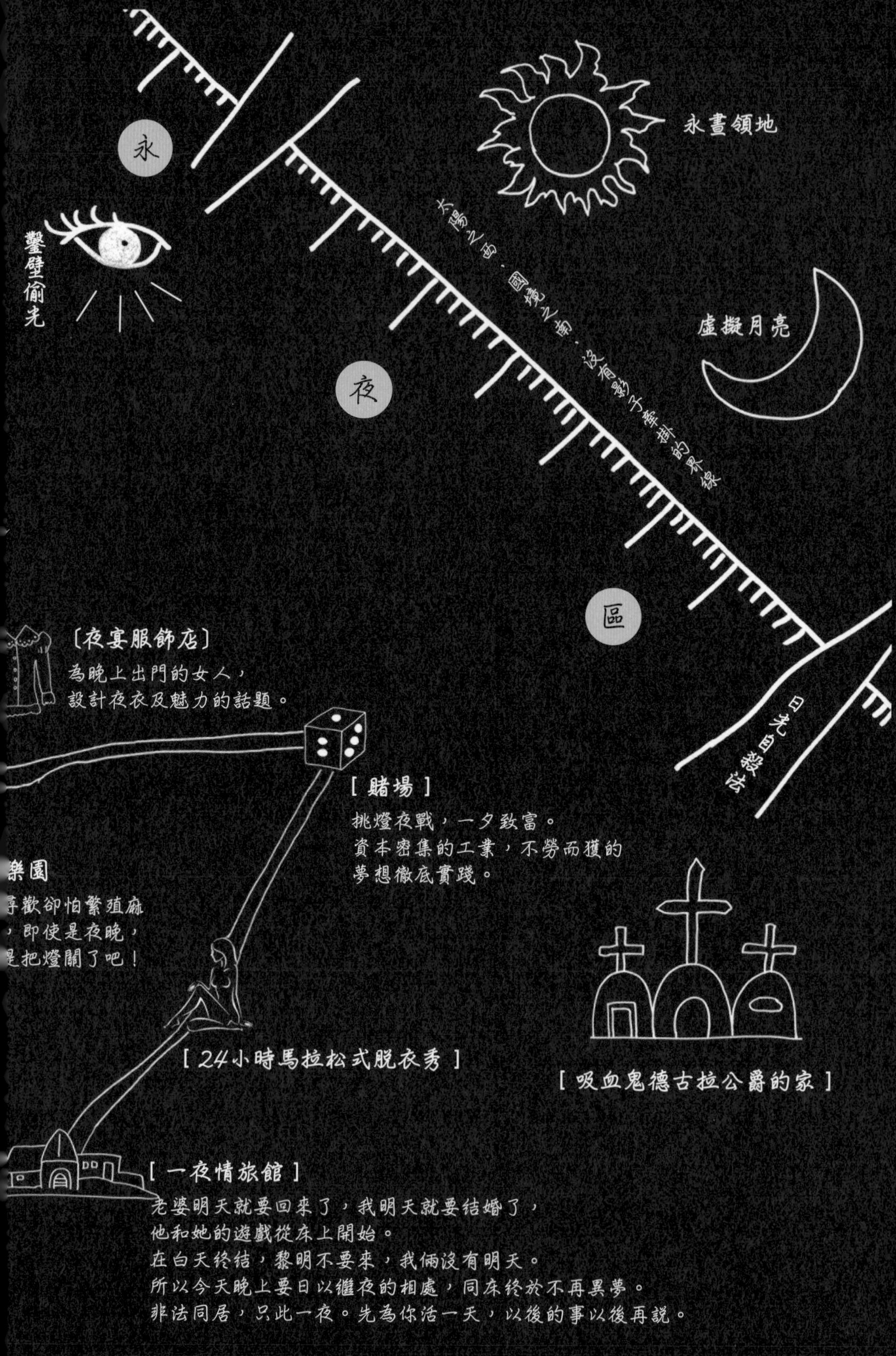
永
鑿壁偷光
永晝領地
太陽之母・國境之南・沒有影子華掛的界線
虛擬月亮
夜
區
日光自殺法
〔夜宴服飾店〕
為晚上出門的女人，
設計夜衣及魅力的話題。
[賭場]
挑燈夜戰，一夕致富。
資本密集的工業，不勞而獲的
夢想徹底實踐。
樂園
尋歡卻怕繁殖麻
，即使是夜晚，
是把燈關了吧！
[24小時馬拉松式脫衣秀]
[吸血鬼德古拉公爵的家]
[一夜情旅館]
老婆明天就要回來了，我明天就要結婚了，
他和她的遊戲從床上開始。
在白天終結，黎明不要來，我倆沒有明天。
所以今天晚上要日以繼夜的相處，同床終於不再異夢。
非法同居，只此一夜。先為你活一天，以後的事以後再說。

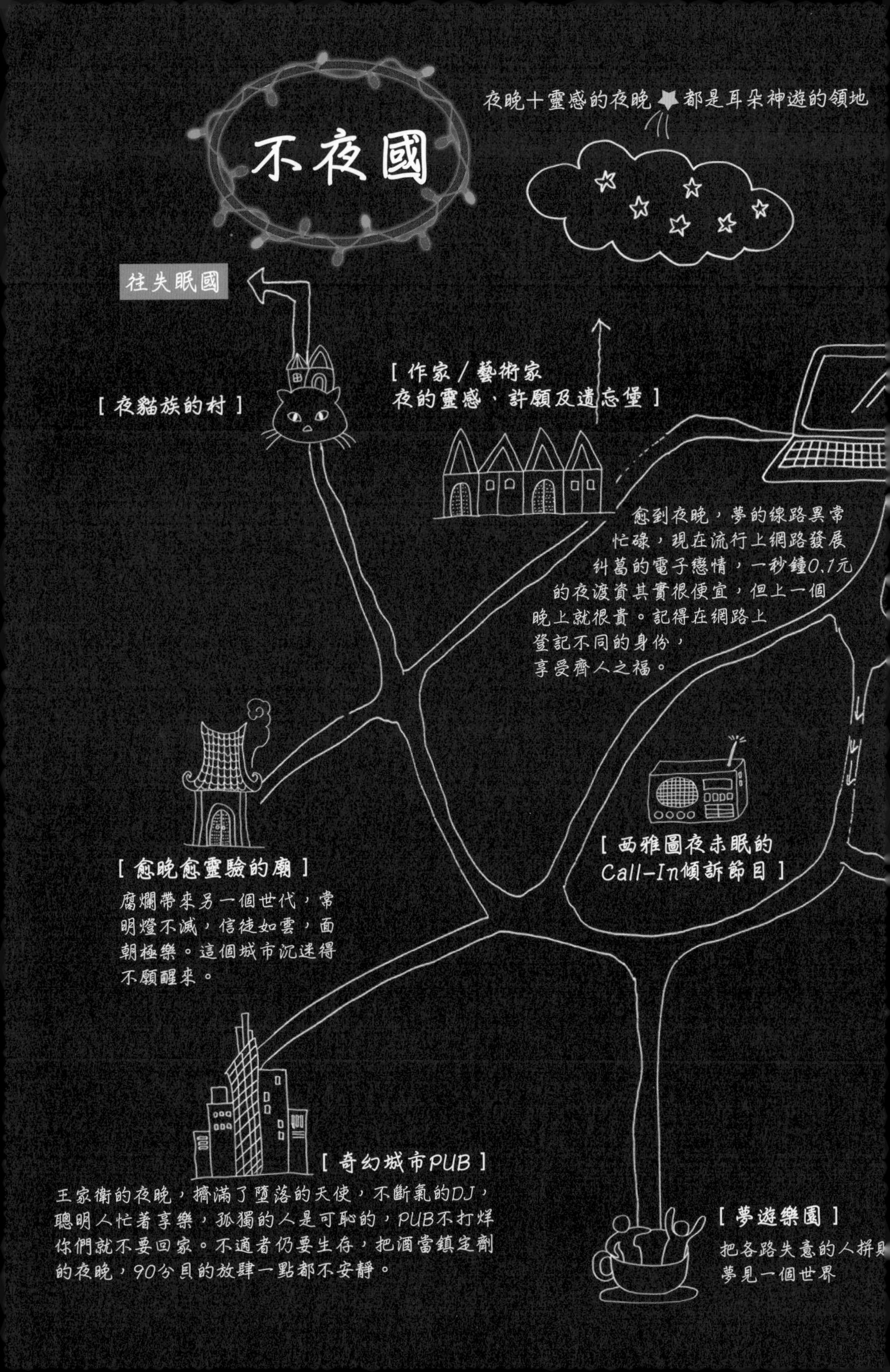
不夜國
夜晚十靈感的夜晚 都是耳朵神遊的領地
往失眠國
[夜貓族的村]
[作家/藝術家
夜的靈感、許願及遺忘堡]
愈到夜晚，夢的線路異常忙碌，現在流行上網路發展糾葛的電子戀情，一秒鐘0.1元的夜渡資其實很便宜，但上一個晚上就很貴。記得在網路上登記不同的身份，享受齊人之福。
[愈晚愈靈驗的廟]
腐爛帶來另一個世代，常明燈不滅，信徒如雲，面朝極樂。這個城市沉迷得不願醒來。
[西雅圖夜未眠的
Call-In傾訴節目]
[奇幻城市PUB]
王家衛的夜晚，擠滿了墮落的天使，不斷氣的DJ，聰明人忙著享樂，孤獨的人是可恥的，PUB不打烊你們就不要回家。不適者仍要生存，把酒當鎮定劑的夜晚，90分貝的放肆一點都不安靜。
[夢遊樂園]
把各路失意的人拼
夢見一個世界

E

物

【物件・例證】

圖書國
服裝國
SHOPPING國
巧克力國
寵物國

圖書國

正在求生的書。正在求愛的書。
正在求財的書。正在求歡的書。
正在做夢的書。正在做菜的書。
正在做法的書。正在練功的書。
正在緝兇的書。正在畫畫的書。
正在看病的書。正在算命的書。
正在開車的書。正在喝酒的書。
正在購物的書。正在旅行的書。
正在種花的書。正在唱歌的書。

在圖書國，一群正在看書的書，全都hyperlink在一起了。

・背後財團：書店、出版社、圖書館、K書中心

市的書
• 有加權股價指數的書
• 外星人的書
• 敏感的書
診的書
• 愛書妝打扮的書
• 幫助睡眠的書
• 會占星的書
角力的書
• 望遠的書
• 低卡路里的書
• 理論正被實驗的書
菜的書
• 曝露狂的書
• 激情火辣的書
• 意淫的書
漂流的書
• 變成傳單，有意見的書
天龍八部
• 會武功的書
• 絕版的書

圖書國
飛走的書
協助逃亡的書
滿載而歸的
正在上映的書
洶洶不絕的書
愛唱歌的書
有法力的書
經典保久的書
網上虛擬的
爬樹才看得到的書
很有錢的書
自動出版的
好吃的書
自動販賣的書
被謀殺的書
往上爬的書

第一屆圖書國・國王Booking票選活動

現在拉票中！

以書立國・擁書為王
圖書國
藉求知慾旺盛的
民意，「策」動建國

國宣言：】

年3月，滿20歲的讀書人選總統：

個時間，不愛看電視政見會的圖書人，則「策」動另一種層次舉，不再以一間4坪書店為滿足，他們想民選出第一屆圖書國王，正式以書立國。「2050年，第一屆圖書國・國王Booking活動」請您仔細評估這四位實力相當的候選人，以神聖的一推舉一位賢者治國，Booking一個未來的文王盛世。

【徵開國功臣一名・獎30萬金】

求得功名利祿〕＿＿＿＿＿＿＿＿＿＿

我心目中的圖書國國王是：□1　□2　□3

我的姓名：＿＿＿＿＿　性別：□男　□女　年齡：＿＿＿＿

連絡電話：(　)＿＿＿＿＿＿＿＿＿＿

連絡地址或e-mail信箱：＿＿＿＿＿＿＿＿

請投入（圖書國票選中心2樓服務台投票箱）謝謝！

①號候選人

療書店、攝影書店、宗教書店、女性書店、觸覺書店、出生書店、死亡書店……她已攻下一整個城鎮，並在中央公園放置1999個露天防雨書櫃，供全鎮民族談情說愛之用。此外，她還規劃免費購書專車、購書免稅方案、二手書市集、世界萬書博覽會……鎮內每一棟建築、每一項建設都是她搬書像搬磚似地一個個建起來的。她還任命該年看書最多的人出任首相，組成愛書內閣，並以購書金額排行榜頒予智慧爵位。

雖然她的視力已退化了，但仍然可以用靈敏的嗅覺辨出書名、出版年份，屢試不爽。

②號候選人

姓名：萬書莫敵　**性別：**男　**年齡：**53歲

星座：白羊座AB型　**職業：**大學圖書管理系教授

特徵：藏書堪稱世界第一。如果把他的書均分給全國人民，每個人至少可以分得一本。比國家中央圖書館有過之而無不及。他的書房是主臥房的十倍大（連主臥房都塞滿了書），他一生待在書房的時間比床上更持久。

他的腦袋搜尋一本書的速度遠超過Amazon，能找到一本絕版書，比救自己家人的命還功德無量。他說如果哪天暴斃死了，一定得葬在書房裡，因為棺材陪葬不了這麼多書。如果有人刑求他，可以比照《廚師、大盜、他的太太、和她的情人》那樣，用他著作等身的書噎死他。他的遺書十八部也寫好了，部部都是引經據典。

③號候選人

姓名：書的侍道士　**性別：**男　**年齡：**36歲

星座：獅子座A型　**職業：**出版社總編輯兼書評家

特徵：原是知名的武俠小說家，近期為了復興低靡不振的讀書風氣，他主持一個談話性的電視節目，給不愛看書的觀眾，強力餵食半消化的知識肉靡。週休假日時，他還在自己家中開講學堂，以不死的理想興學。他像是摩門教徒似地，騎腳踏車沿街廣送書訊，以廣播廣告車宣告新書上市。他把積蓄都拿出來辦徵文比賽了，像這樣愛書愛到要去殉道的苦行程度至少也該有張同情票吧！

④號候選人

姓名：數位e媚兒　**性別：**女　**年齡：**18歲

星座：射手座B型　**職業：**網路作家兼網上飆書王

特徵：6歲就在網路書店上網寫書評。一天上網最高達16小時。在網路上有四種性別，26種分身，知識是她發育神速的營養補品。舉凡天文學、醫學、動物學、園藝學、心理學、生死學……她都是無師自通，從網路上自修而來，故有「網路轉世靈童」之稱。她會在課堂上，用筆記型電腦在線上發表情詩，或是連載一個多月的網路愛情小說；她立志要在20歲前把Amazon的書都看過一遍。每天不間斷地用Mac發明新事物，目前正以建築工法建構全球第一本4D書，她不相信權威，她眼中的未來，就是現在。

維吉尼亞．吳爾芙說：衣服在穿人，不是人在穿衣服。
於是衣服決定脫下人體，自立門戶。

張愛玲幫筆下每個人物打點好了鮮活千年的行頭，
王爾德花在打扮的時間比寫詩還長，

國

對三宅一生按季膜拜，
有香奈兒就失去理智，
全部的流行信徒，拜衣教者，
我們有更多的流行名目，為服裝舉辦各式大型慶典。
你已經不只有一個大衣櫃，
你的衣服，已經佔滿了一個國家。

・背後財團：服飾店、百貨公司、
Shopping Mall

普照全國的大型穿衣鏡，
讓你看到自己，
和萬事萬物。

通天體國

服裝朝聖處

對三宅一生按季膜拜，看到香奈兒就失去理智，所有的流行信徒，拜衣教者，我們有更多流行的名目，為服裝舉辦各式大型慶典。

時尚受害者集中營

被時尚害得喪失自我的受害者，均可申請國賠。

裸體解放室

時裝政令伸展台

在政治的流行週期愈來愈短，政黨染上時尚焦慮的今天，我們歡迎有政治魅力及流行身段的人走上伸展台。

角色更衣室

不喜歡自己的出身、性別、個性、角色，這裡有萬坪的更衣室，歡迎隨時試穿。

扮裝舞台

天生的性、階級的性、社會的性、性取向的四種交叉可能。

穿著的公民美學通識

每年票選最佳及最差穿著人士。所有公民必須通過品味鑑定考試，不及格的小心要被罰穿制服。

時尚華爾街

所有的名牌服飾，上市上櫃的流行及風格，都要在證券交易所裡買賣。

服裝心理研究所

舊衣找到舊戀情，藍長褲鎮定腳步；短裙解除敵意；高領毛衣增加三倍安全感；輕的風

服裝教學研究中心

一件好的衣服，可以增加自信，減去缺陷，乘上魅力，除去悲傷。衣服是權力的槓桿，你需要一個很好的風格精算師，打點最經濟的時尚行頭。

服裝溝通解碼

透過你穿的衣服，我們可以一見鍾情，省去不必要的誤會。

服裝租賃中心

for Rent

國家每年發給服裝國的公民一筆為數不小的置裝費，到公家的服裝租賃中心，只需50元掛號費即可。

服裝國

服裝氣候所

想穿上喀什米爾羊毛大衣，
天氣會自動降溫。
你一穿上比基尼，豔陽就高照，
比氣象局還準。

布料供應廠

服裝政權中

流行是專制的
君，所有款式
是從這裡上令
達，風行草偃

服裝研究所

- 第二肌膚醫學研究所
- 情緒色彩研究所
- 萬物尺度研究所
- 穿著潛意識研究所
- 內衣勾引研究所
- 羅蘭．巴特研究所
- 健康布料研究所
- 服裝性別研究所

質材實驗室

嗅聞每一種材料的體味，
在布之中發現手腳的可能。

視覺調度所

檯面上的調度，完
得宛如戲劇的高潮
起，天衣無縫。

身體禮品

胸前的緞帶
身體包成一
貴的愛情禮
待價而沽。

服裝詩社

詩是服裝設計師的春藥，尤其是情
詩，特別可以激發身體的能量，及
布的靈感。

美體美儀中心

為了要讓小禮服更窈窕，
你需要減去兩吋的腰圍。

身體健保局

以身體為結構體
布的線條畫出你
金比例的外飾。

反流行地下革命社

標新立異，是受不了灰色一流行，大
家就一窩蜂的死氣沉沉。為反對而反
對，隨性比體面有個性，邋遢比端莊
更前衛，沒有叛逆，那來的革命？

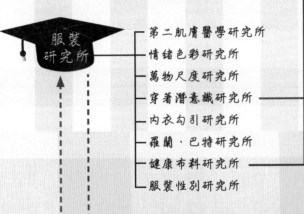

交通規則】

冤家路窄，情敵狹路。

前有三角戀情。

前有機會與舊情人死灰復燃。

請勿介入別人家庭。

小心五鬼搬運，人財兩失

想殉情，前有碼頭斷崖。

遵行標誌

如果和哥哥愛上同一個女人，請孔融讓位。

【衣服與

警告標誌

遇到第三情，請
靠邊行駛。

險降坡

第三者將侵入，
請小心防範。

分道揚鑣，分手
要快。

前有起伏小心誘惑。

記得避孕，小心
肚面高突。

前有測速照相，
小心穿幫。

注意緋聞落石

注意東窗事發，
家庭風暴

把SHOPPING當寄託。

把SHOPPING當旅行。

把SHOPPING當信仰。

把SHOPPING當心理治療。

把SHOPPING當交際。

把SHOPPING當學問。

把SHOPPING當健身。

把SHOPPING當墮落。
把SHOPPING當敗家。
把SHOPPING當家產增值。
後消費主義進化最完全的SHOPPING國，
今天開張！

・背後財團：Shooping mall、各專櫃店家

財務規劃諮詢室]
[sleep & shower]
[拜物教、戀物癖鎮定中心]
〔輸送帶、專車專人送貨到家〕
SHOP
SHOP
免費
按摩院
由店家出資，免費享受馬殺雞
觀景森湖區
〔後悔、瑕疵無條件退貨中心〕
〔不適用的貨物、可以以物易物〕

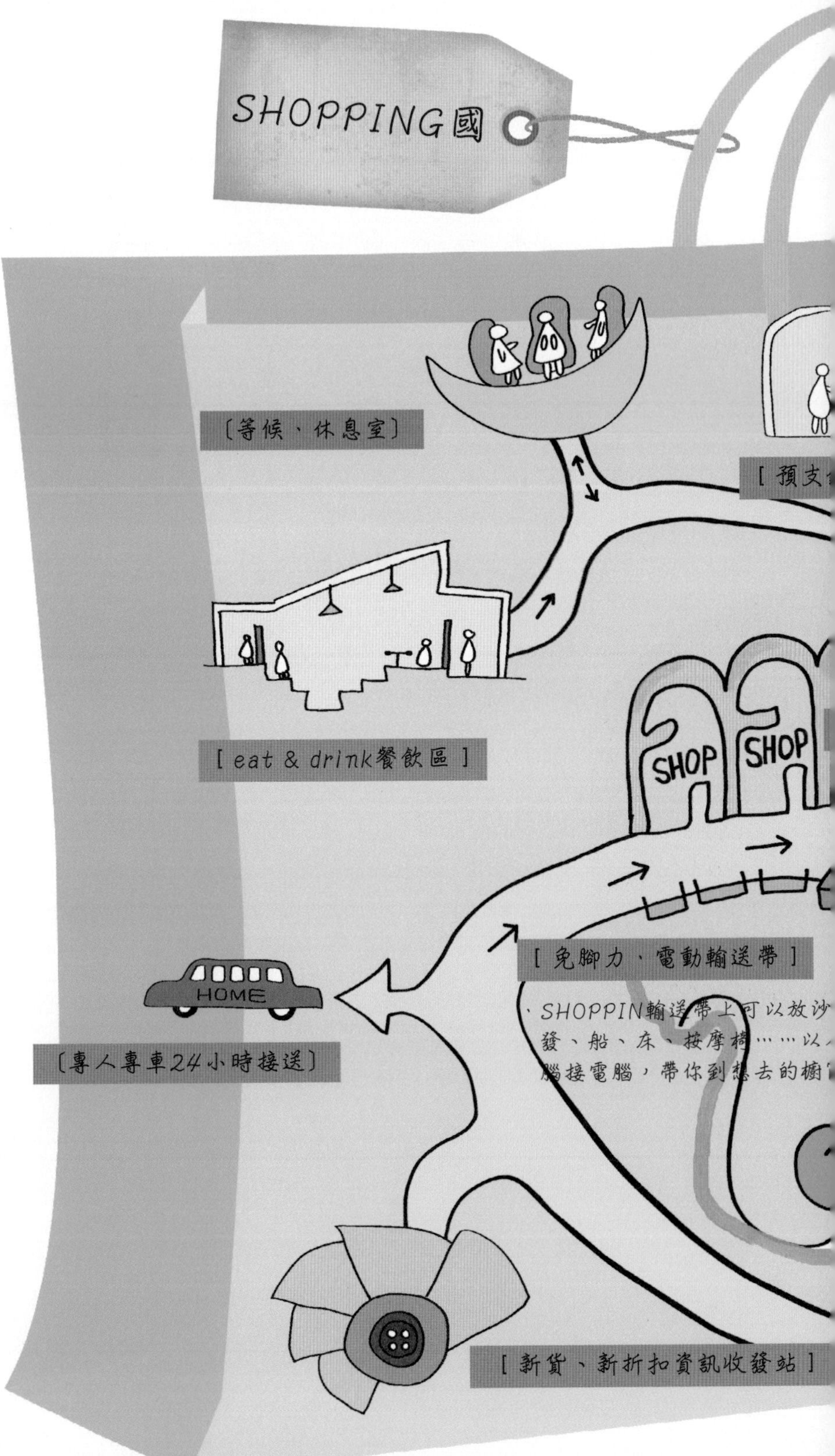
SHOPPING國
〔等候、休息室〕
[預支
[eat & drink餐飲區]
SHOP
SHOP
[免腳力、電動輸送帶]
SHOPPIN輸送帶上可以放沙
發、船、床、按摩椅……以
腦接電腦，帶你到想去的櫥
HOME
〔專人專車24小時接送〕
[新貨、新折扣資訊收發站]

巧克力國

狂歡時。憂鬱時。寒流時。生病時。
打球時。月經來時。
戀愛時。失戀時。
幸福時。沮喪時。
興奮時。冷感時。
無時無刻，我們都要隨身攜帶巧克力以維生。

、糖果店

巧克力是藥，是癮，
是鎮定劑，也是強心針。
巧克力不再是一盒二千元的奢侈禮盒，
也不再是一條二十元的廉價零嘴，
它將融化一整個國家，
以濃郁的香，讓所有人無法抗拒感官的幸福。

・背後

良藥不一定苦口，

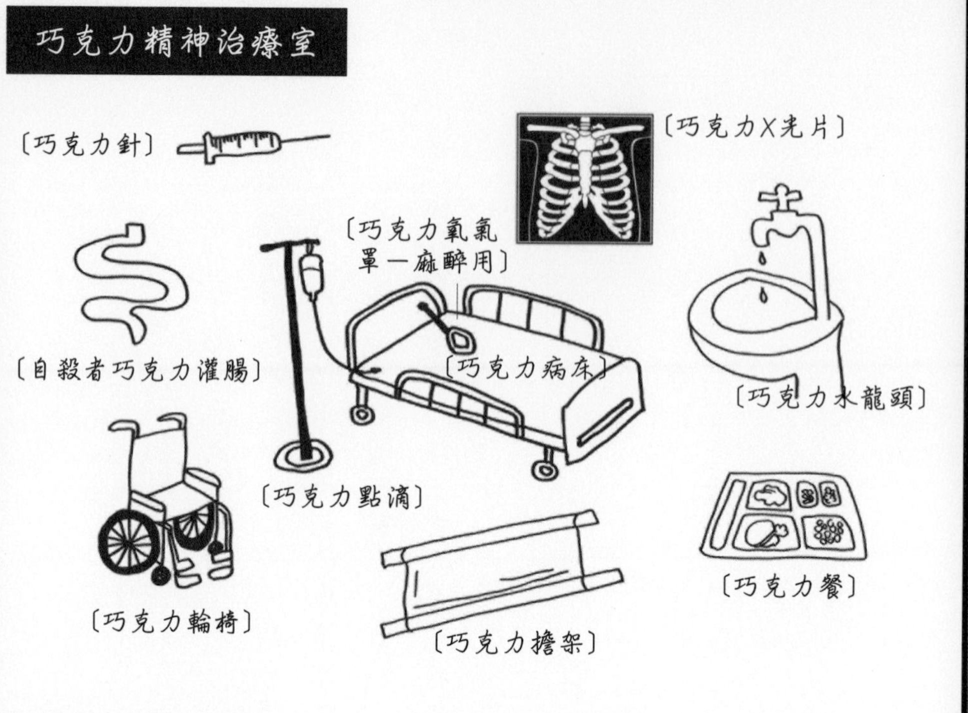

給日夜工作的SOHO族，

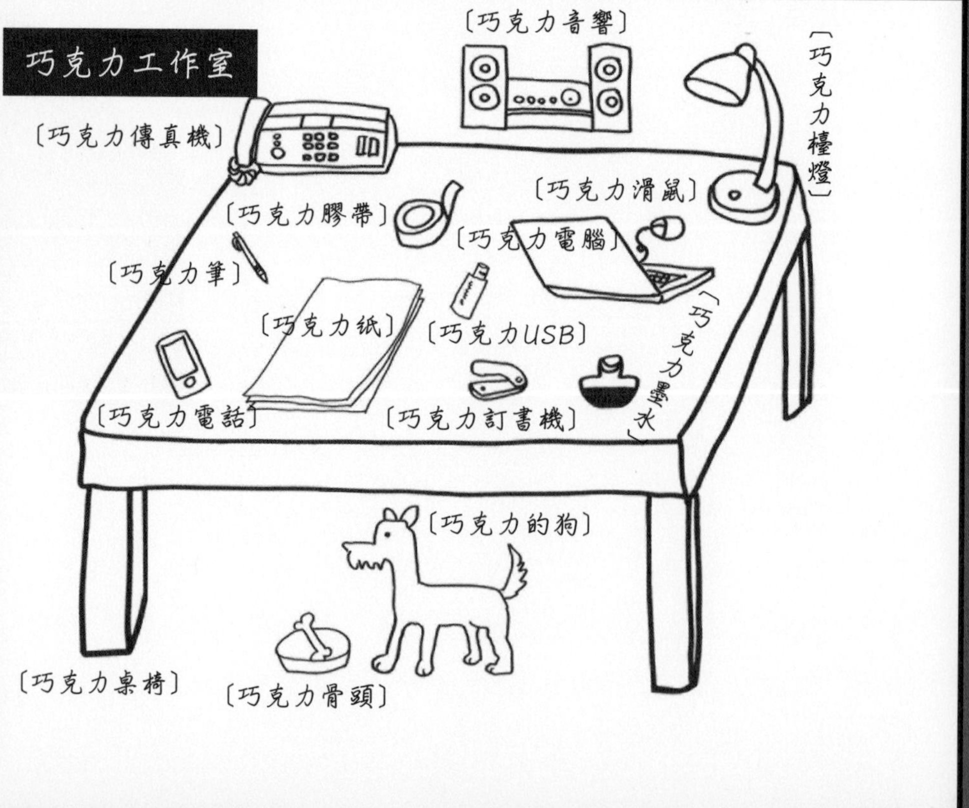

巧克力國

巧克力情趣用品店

巧克力樂園

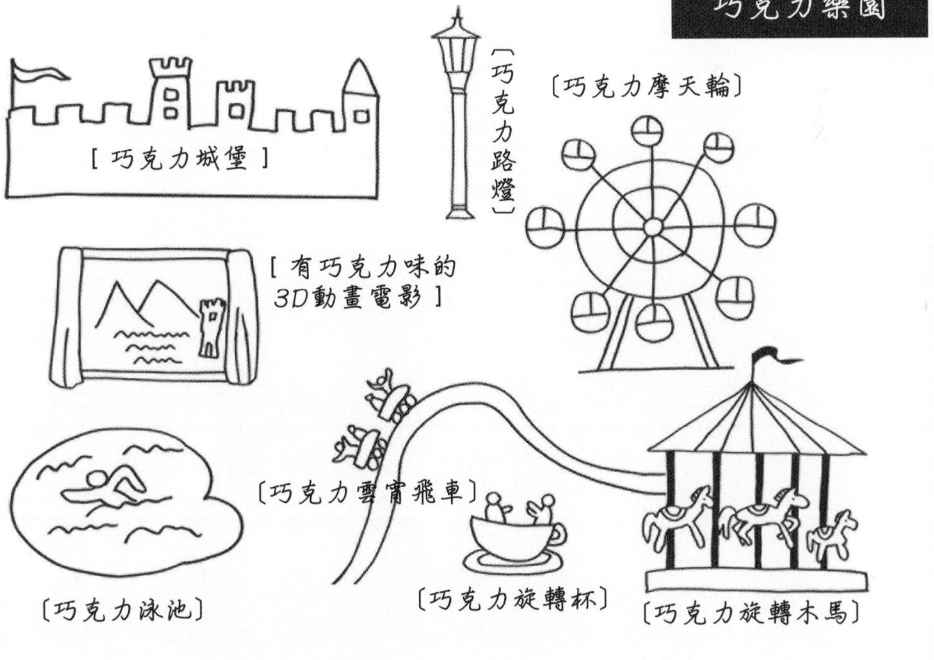

寵物國

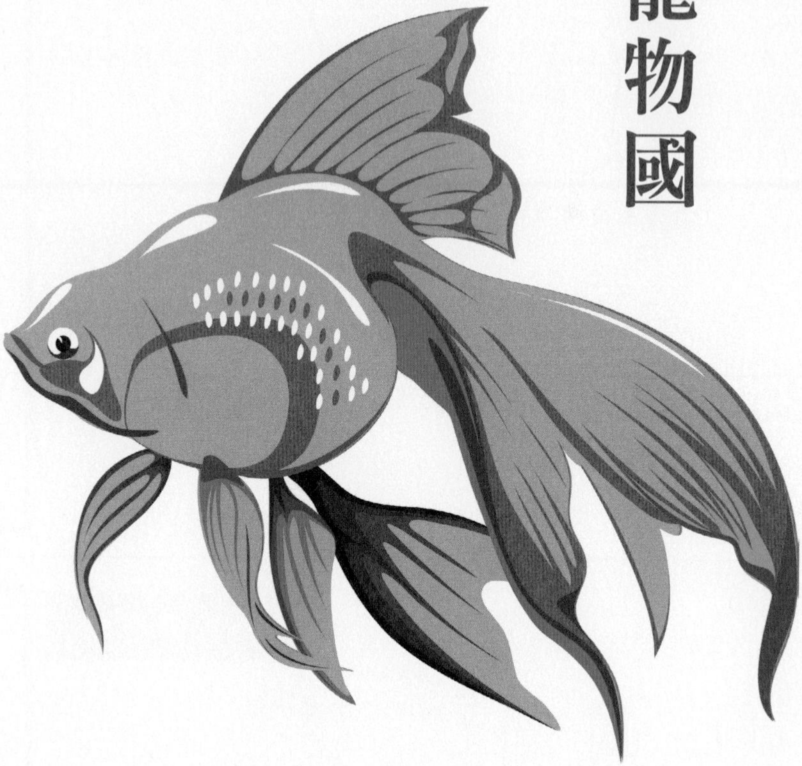

背叛不斷，只有狗忠心。
爭論不休，只有鳥聽話。
人情冷暖，只有貓貼心。
焦燥不安，只有魚自在。
最孝順的不是兒女，
而是每天寸步不離的寵物寶貝，
唯你是從。

今天換寵物當家，
進一趟寵物國享受一下，
感謝牠陪你渡過
快樂、憂傷、心碎、忘情的每一天。

·背後財團：動物園、獸醫院、寵物中心

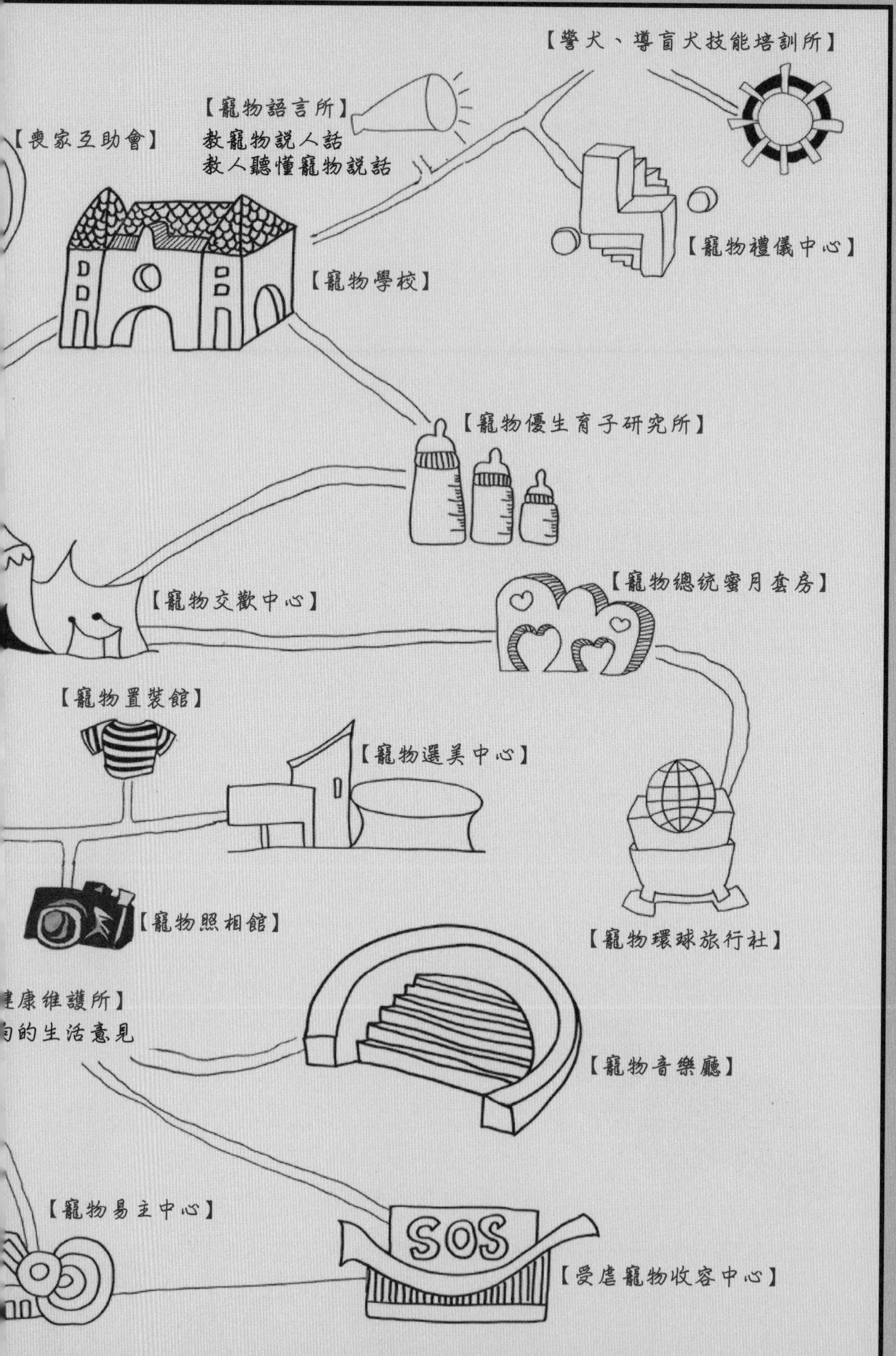
【警犬、導盲犬技能培訓所】
【寵物語言所】
教寵物說人話
教人聽懂寵物說話
【喪家互助會】
【寵物禮儀中心】
【寵物學校】
【寵物優生育子研究所】
【寵物總統蜜月套房】
【寵物交歡中心】
【寵物置裝館】
【寵物選美中心】
【寵物照相館】
【寵物環球旅行社】
康維護所】
的生活意見
【寵物音樂廳】
【寵物易主中心】
SOS
【受虐寵物收容中心】

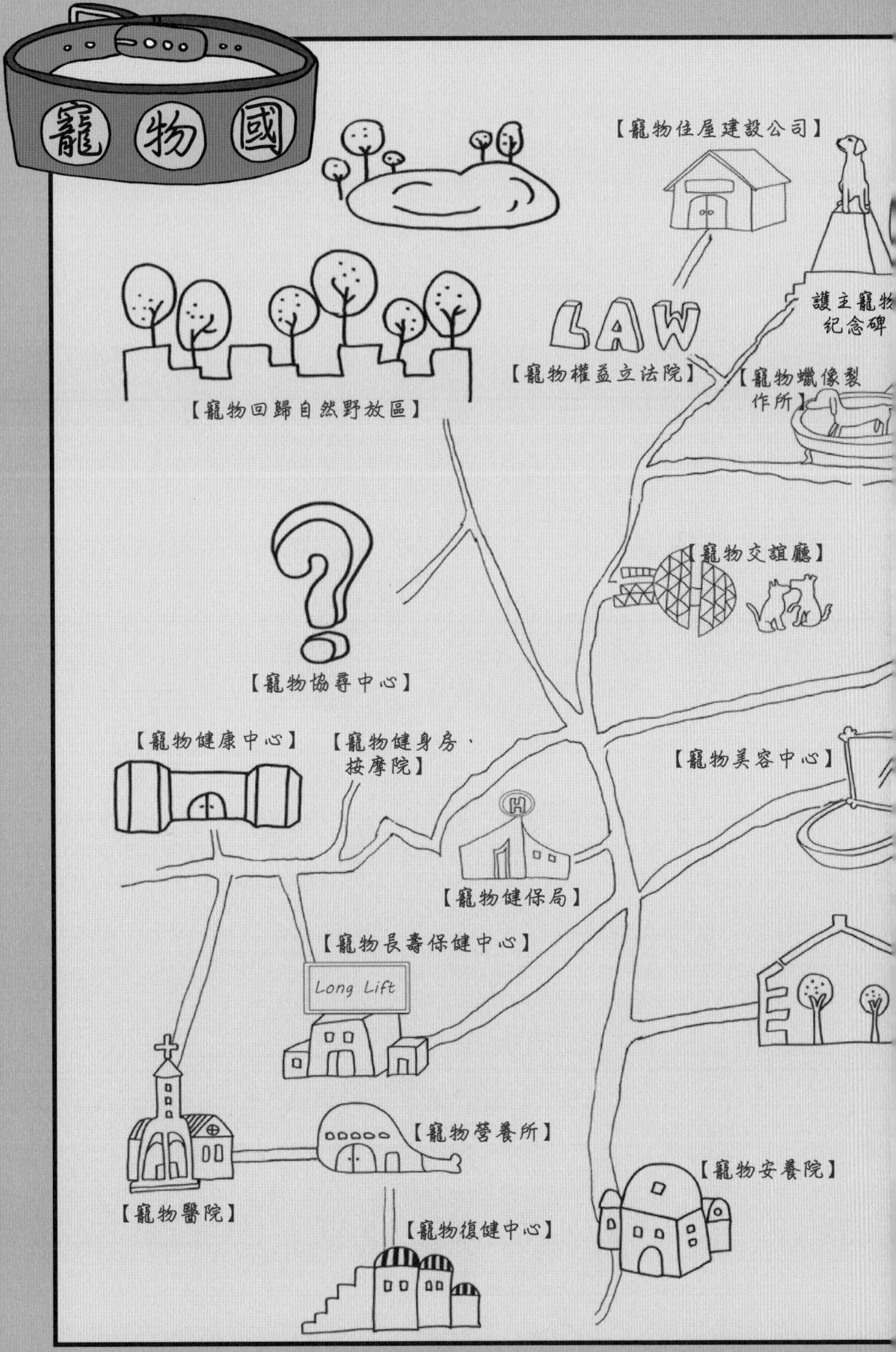

寵物國
【寵物住屋建設公司】
護主寵物
紀念碑
LAW
【寵物權益立法院】
【寵物蠟像製
作所】
【寵物回歸自然野放區】
【寵物交誼廳】
【寵物協尋中心】
【寵物健康中心】
【寵物健身房、
按摩院】
【寵物美容中心】
H
【寵物健保局】
【寵物長壽保健中心】
Long Lift
【寵物營養所】
【寵物醫院】
【寵物安養院】
【寵物復健中心】

F
DUCK DOWN
AGM

情

【情慾・機制】

憂鬱國
失戀國
食慾國
愛情國
情慾國
許願國

憂鬱國

膽固醇過高，胃腸長期欠安，
文件過量，享樂含量不足。
旋轉木馬式的偏頭痛，沒有咖啡因的焦慮，
人心蔚居，不適者也要生存。

心理學家說，20世紀是焦慮的年代，
21世紀則是憂鬱的年代，憂鬱將成為人類第三大死因。
全球已有一億多人提早憂國憂民，不約而同地得了憂鬱症，每四位女性，就有三位輕微憂鬱。
沮喪仍在蔓延，人滿為患。
高劑量的悲情城市，正式升格為憂鬱國。

哭是沒有用的，請一天憂鬱假，
來憂鬱國稀釋你的悲傷，
鬱火重生。

憂鬱國

廚師、大盜、他的太太，和她的情人……
這個國家每個人都罹患了憂鬱症。

疾厄宮

水有毒、米有毒、肉有毒、油有毒、空氣有毒、
完全中毒、人心更毒。
所以素食、生食、節食、斷食、人間煙火不食。

每天忙著千層濾水，練就萬能神功，
痛時腳底按摩，定期放血，尿療。
再加背一本西藏生死學，今世解脫。

今生無法長相廝守，來世再續前緣。
吃排毒丸時同時加配服一顆百憂解，
效果更佳。

福德宮

天靈靈地靈靈，無錢無效，有錢則靈。
分身乏力，喊天不靈。
大聖大靈大恩大德大破功，只好在家靠水晶，
出外靠算命，
升官、發財、解厄、求子、包辦一生幸福。
一次1500元，不準免費。

不信邪，那要我們信誰？！

事業宮

景氣低迷得快斷氣。你理財，財不理你，企業跳票，客戶倒債，沒有工作，可能是一夜之間的事。

失業的人失眠到6:00，還是習慣在7:00驚醒趕8:00的早會，坐下午5:30的捷運回家，只是無班可上。

退休金來不及領，失業救濟金救不了一輩子，房子被斷頭拍賣，一堆付不出來的帳單，把人塞得像一個暴發貧民……。

夫妻宮

愛情見異思遷，勾引層出不窮，誓言朝令夕改，情人比避孕套不可靠，婚姻保存期限比一包速食麵還短。

街上有正走在偷情路上的男女，離婚途中的夫妻、疲於算命的女人，和疲於奔命的律師。

大家都趕在對方無情，自己受傷前先變心。
這個城市有太多不該有的離散，
我們的感情能維持到明天嗎？

田宅宮

等國宅不如等棺材，等到國宅還真的得準備棺材。
以前的人視死如歸，現在的人視歸如死。

輻射鋼筋擺兩邊，正看墓山，後倚高壓電塔，風水不佳，恐懼無處可逃。
福地福人居，顧及門面，千萬豪宅只能靠百萬裝潢，遮東擋西。

其他市井小民，朝九晚五連加班費，付完飯錢、房租錢，就沒剩幾毛錢。
利率低得見骨，存款追不上房價，無殼蝸牛有露宿街頭的恐懼。
一坪6萬塊，住者有其屋的德政，真是個世紀大笑話！

附註B：【解憂30大法】

【憂鬱國醫護所製表】

順位	解　法
1	長期在國外旅行
2	隱居
3	短期出國／短期失蹤
4	一日郊遊
5	找老天談心事／上教堂、佛堂
6	約會，新戀情
7	算命
8	改變家中擺設
9	跳舞、飆舞
10	「做愛做的事」
11	運動、去健身房
12	吃大餐
13	Shopping（買衣服）
14	睡覺
15	找朋友聊天，喝咖啡
16	大哭一場
17	聽音藥
18	看醫生／吃藥
19	玩狗和小孩玩
21	剪頭髮／改變髮型
22	泡澡／泡溫泉／按摩
23	抽煙、淺酌小酒
24	玩電腦、電動
25	看電視／電影
26	吃甜食、巧克力
27	上課、聽演講、座談
28	寫日記、寫信
29	做善事（如簽器官捐贈卡）
30	拚命工作、分散注意力

憂鬱國

附註A【憂鬱指數表】

·資料來源：Holmes and Rache，1967／中國時報10月26日第33版

順位	事件	指數
1	配偶死亡	100
2	離婚	73
3	分居	65
4	拘押	63
5	血親死亡	63
6	生病、受傷	53
7	結婚	50
8	解聘	47
9	夫婿和好	45
10	退休	45
11	家人生病	44
12	懷孕	40
13	無性趣	39
14	家族新添成員	39
15	履新職	39
16	經濟狀況生變	38
17	親友死亡	37
18	換工作	36
19	夫妻吵架次數的變化	35
20	借款一萬元以上	31
21	擔保損失	30
22	工作上責任的變化	29
23	子女離家出走	29
24	親戚關係不好	29
25	個人輝煌成功	28
26	配偶開始工作或退職	26
27	就學畢業、退學	26
28	生活狀況變化	25
29	習慣改變	24
30	上司找碴	23
31	工作狀況生變	20
32	遷徙搬家	20
33	轉學	20
34	休閒活動變化	19
35	協會活動變化	19
36	社會活動變化	18
37	借款（一萬元以下）	17
38	睡眠習慣改變	16
39	家族聚會變化	15
40	飲食習慣改變	15
41	休閒	13
42	聖誕節	12
43	小事情違規	11

失戀國

交往十年的男友一夕之間移情別戀。
只要去當兵，女友就準備好分手信。
吵著要白頭偕老的未婚妻在婚禮當天當眾逃婚。
誓死會離婚娶妳的中年男子，情人節當天連夜搬家出國，
從此音訊全無。
如果讓情人單獨去旅行，
去時Bye-Bye，回來也會Bye-Bye。

愛人有去無回，來不及掛失。
誓言朝令夕改，承諾報廢多年，無法修理。
「直到永遠」的期限只到今天午夜十二點。

愛情因為太暢銷，
所以大量加印，以致貶值破產，信用全無。

速食愛情之下人心善變，
昨天剛交往，明天就失戀，
所以請隨時與失戀國，保持密切連繫。

·背後財團：餐廳、算命攤、醫院、心理醫生、電台……

失戀國

【失戀電台】

失戀夜未眠，沒關係，打開收音機，就可以聽到別人的傷心事，你自己也來一段真情告白，舊情換新愛吧！

【失戀歷史博物館】

每個人都有一個儲藏室，及無限供應的廣口瓶，收藏已逝去的戀情，定情物、紀念照、並給你封條，把舊愛塵封起來。

【失戀藥局】

不想看醫生，就去買失戀成藥，12小時吃一粒，很快就康復。

【失戀醫院】

舉凡失戀厭食症、絕食症、貪食症、憂鬱症、躁鬱症……這裡都有失戀抗生素，一帖見效，還有記得每年定期注射失戀疫苗，預防二次失戀。

【失戀修道院】

幻滅，是成長的開始，失戀是靈魂修練的過程，放下恨的屠刀，就能為愛立地成佛。

【失戀動能開發所】

哪個藝術家沒失戀過？
塞翁失馬，焉知非福，化悲憤為創造力，完美地讓你的作品，因破碎的戀情而流傳千古。

通往藝術國

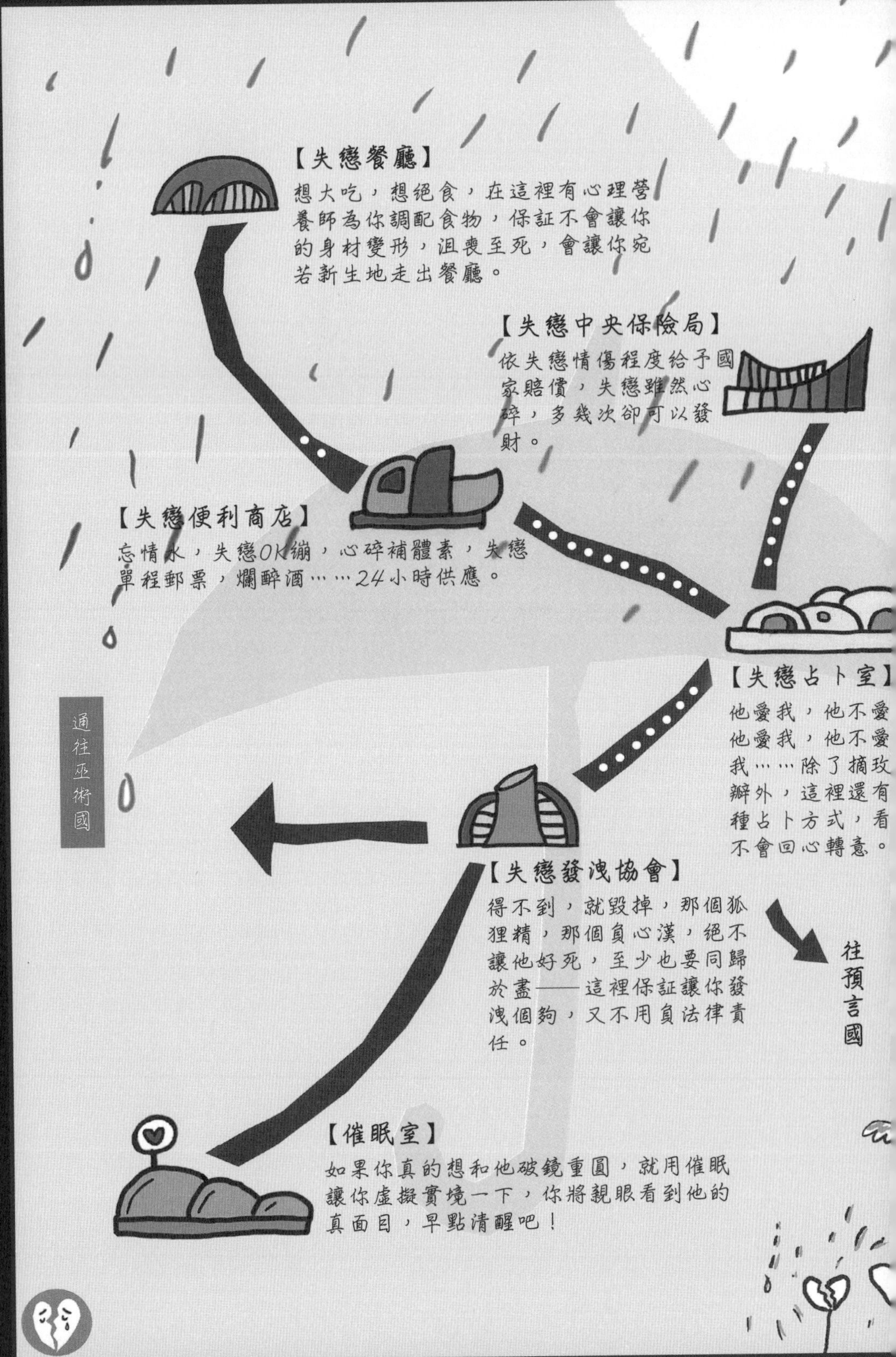
【失戀餐廳】
想大吃，想絕食，在這裡有心理營養師為你調配食物，保証不會讓你的身材變形，沮喪至死，會讓你宛若新生地走出餐廳。
【失戀中央保險局】
依失戀情傷程度給予國家賠償，失戀雖然心碎，多幾次卻可以發財。
【失戀便利商店】
忘情水，失戀OK繃，心碎補體素，失戀單程郵票，爛醉酒……24小時供應。
【失戀占卜室】
他愛我，他不愛
他愛我，他不愛
我……除了摘玫
瓣外，這裡還有
種占卜方式，看
不會回心轉意。
通往巫術國
【失戀發洩協會】
得不到，就毀掉，那個狐狸精，那個負心漢，絕不讓他好死，至少也要同歸於盡——這裡保証讓你發洩個夠，又不用負法律責任。
往預言國
【催眠室】
如果你真的想和他破鏡重圓，就用催眠讓你虛擬實境一下，你將親眼看到他的真面目，早點清醒吧！

食慾國

食物挑逗，胃口大開。
美食主宰國運，五十萬個味覺細胞走上街頭。
食慾國飢渴成立，食物戀開始連鎖反應。
六種感官餐廳全面取悅你的口腹之慾。

從現在起，
食慾國開始負責餵飽每一位不忌口的內行饕客，
你，餓了嗎？

·飽食終日、有所事事、食慾國用「餐」禮儀
·背後財團：餐廳、飯店、餐具……

食慾國

「食物戀開始連鎖反應，50萬個味覺細胞走上街頭」

【軍事餐廳】請預約者，著軍裝入場。

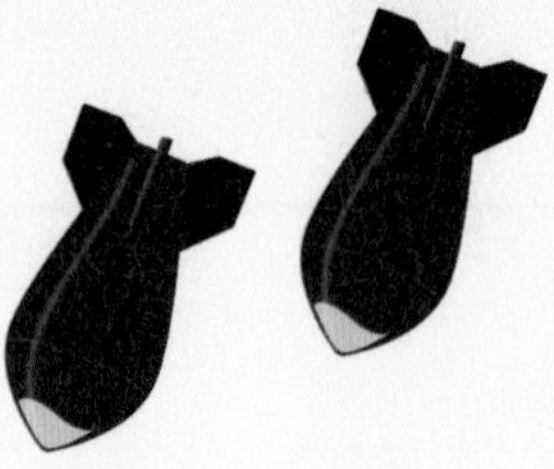

餐廳正前方有一張軍事地圖，與您的戰友依現有的「彈火」資源，攻下你們的口慾目標。

還有仇日情结未了嗎？請將鍋粑分塊入熱油中炸成大片鋪在盤底，再淋上一層什錦肉芡汁，湯汁遇鍋粑縫中的熱油會「帕滋」一聲，抗戰時這道菜叫做「轟炸東京」。想吃一頓豐盛的義大利大餐嗎？先把義大利攻下來再說吧！

【毀滅餐廳】

内衣都可以當糖果吃了，想幹掉一條高速公路又有何不可？

大至一整座城、噴射機、摩天大樓、鋼琴、敞篷車、游泳池……小至塑膠質感的風衣、電腦、高跟鞋……菜色逼真，均可讓你輕鬆下肚。

剛失戀嗎？請於前一週訂做變心情人的模樣，吃進胃裡充分消化吸收，讓愛情的養份與你合體，至死不渝。以上皆為高度危險動作，其他餐廳請勿模仿。

【奇蹟餐廳】

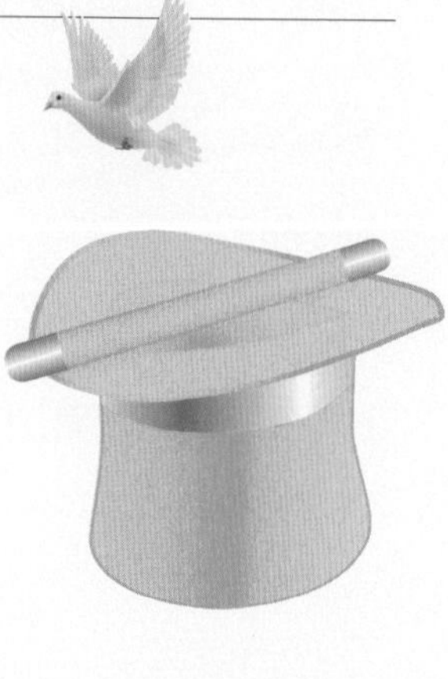

一夜致富，嗜賭成性，麻雀就是相信奇蹟才能變鳳凰。*Mission posssible*！點菜前先寫下你的願望，包括還清房貸*500*萬、環遊世界*80*天、一部紅色法拉利、或是當上百人公司的老闆，只要用錢可以解決的，請儘管「開口」。

每道菜均設一道謎題難關，通過了，不僅這餐算你免費，還無條件完成你的「春秋大夢」—不必等待神蹟，請來奇蹟餐廳試試靈光好運，多來幾次，*Make your dream come true*！

（附註：如果沒通過謎題，就得付*double*的菜錢）

【嗜藥餐廳】

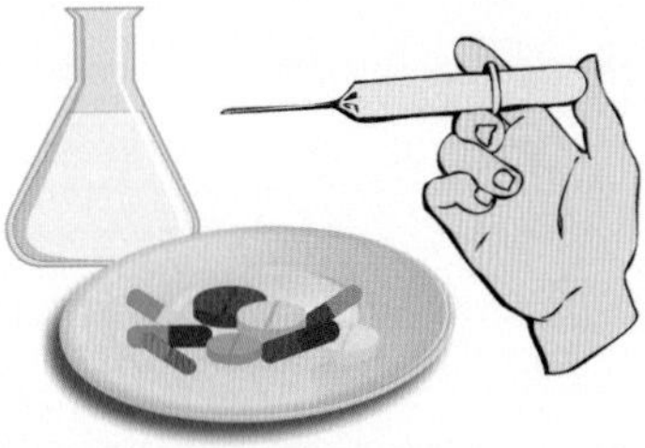

不吃藥就覺得自己不健康嗎？
老是久傷未癒、多病纏身、藥癮又犯了？
有精神性嗜藥症者請先到櫃台掛號、看診、取得醫生處方後方可點菜。
您可能吃到藥丸狀的飯，藥水色的補湯……
每道菜均有療效，仍然美味，
請習慣用針筒吸食；
病情嚴重者可移至加護病房打點滴式麻油雞，
良藥一點都不苦口。
用餐前請先電話預約以免久候。一律向門口著手術服的醫生們出示健保卡入場，餐後免服藥，但小心副作用。

【情色餐廳】

挑逗廚師，勾引眼前的食物，向鄰桌發出呻吟，去和櫃台搭訕，與waiter調情，要一杯用保險套裝的白色調酒。
麝香、巧克力、松露、牡蠣、土狼眼、河馬鼻、鱷魚尾、駱駝峰、裸麥麵包、天鵝生殖器……這些野性難馴，讓您想入非非的頹廢口味、傳聞中可增加精力的秘方，都將「色」、「香」、「味」俱全地取悅舌頭的性感帶，食慾、性慾一次解決。
誰說要飽暖後才能思淫慾？

【殺戮餐廳】

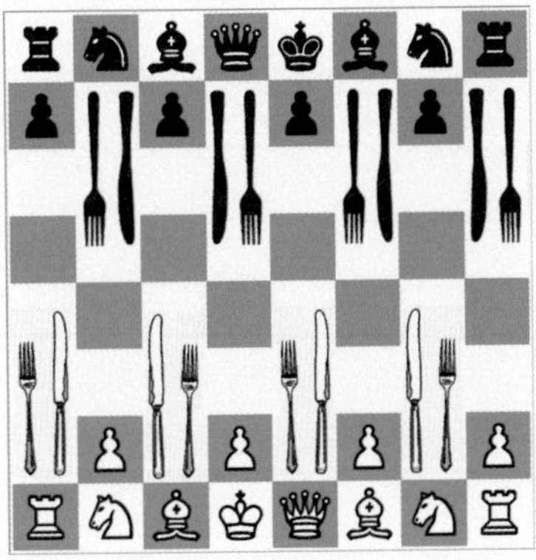

我們殺戮才能生存。
想吃雞嗎？請先自力將雞殺了再說吧！
有暴力、屠夫分屍傾向者，不必再壓抑地去看〈人肉叉燒包〉、〈黑店狂想曲〉……
各式各樣的凶器一應俱全，所有的雞鴨豬牛活魚供你現殺現吃，割喉、放血、剝皮、去骨、剁肉、清內臟……一切血腥不得假手他人，大廚在旁指導，重案組全天候盯睄。
熱氣騰騰、殺氣也騰騰。
想大開殺戒嗎？
來殺戮餐廳大可不必手下留情！

愛情國

在這個愛情嚴重貧血的年代，
謠言、緋聞、責任、輿論、道德、眼光……全面牽制愛情的蔓延，
再美的玫瑰終將乾枯。
有情人終成國度。
盡我們所能，

以慾望和野心建構情人最無遠弗屆的戀愛版圖，
相見恨晚，示愛永不嫌晚，
沒有任何麵包比愛情更重要，
所以放下手邊的柴米油鹽，
在愛情國之前，
與戀人一起誓死效忠愛情！

・背後財團：
鑽石、巧克力
鮮花、餐廳

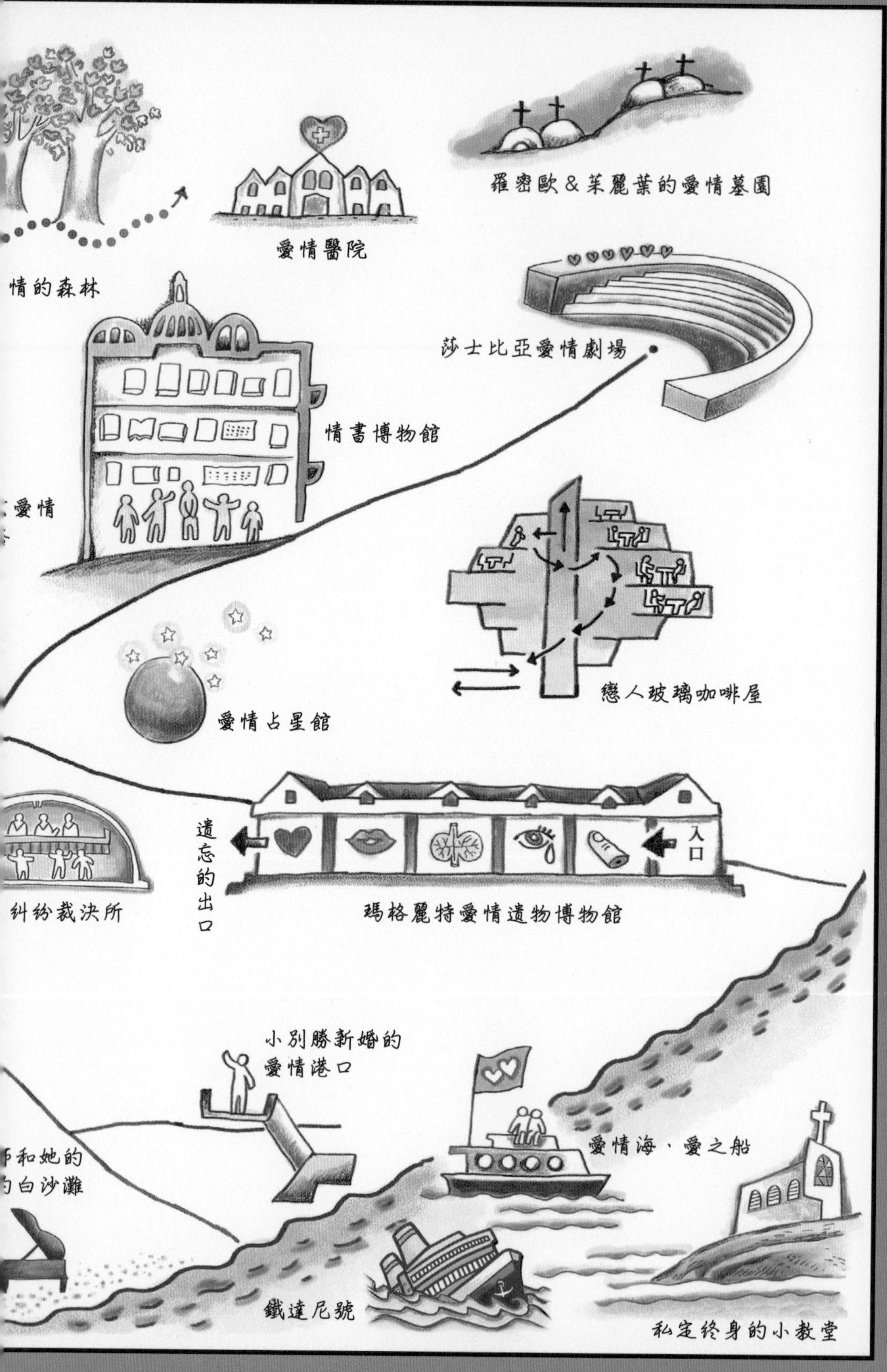
羅密歐＆茱麗葉的愛情墓園
愛情醫院
情的森林
莎士比亞愛情劇場
情書博物館
愛情
戀人玻璃咖啡屋
愛情占星館
遺忘的出口
入口
糾紛裁決所
瑪格麗特愛情遺物博物館
小別勝新婚的
愛情港口
和她的
白沙灘
愛情海．愛之船
鐵達尼號
私定終身的小教堂

愛情國
所到之處，無遠弗界
無曬傷、無寒害的愛情溫室
出口
愛情迷宮
入口
慾望街車
西雅圖夜未眠的愛情樓
9又1/2週慾望旅館
情書鴿
七夕情人橋
愛情昇華電纜車
蝴蝶夫人，等待愛人的窗
溫莎公爵的愛情花園
愛情神話傳播公司
出租玫瑰花床
巧克力的愛情工廠
通往巧克力國

情慾國

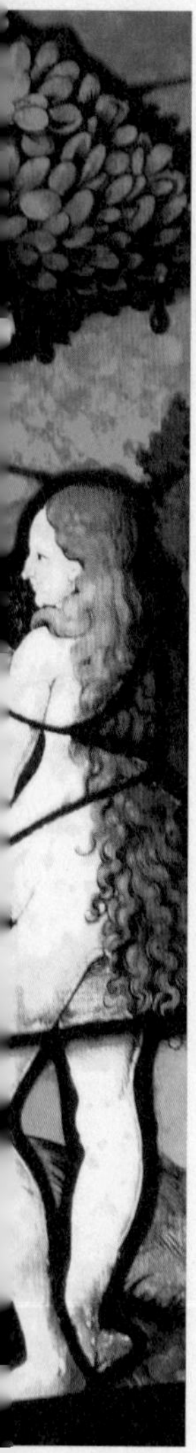

馬斯洛認為，性是人類最重要的需求。

基於亞里斯多德的藝術胚胎學，達爾文性競爭優勢理論。

多瑪斯·拉廓爾的雌雄同體理論，叔本華的緋聞悲觀種族論，

佛洛伊德的性壓抑犯罪論，

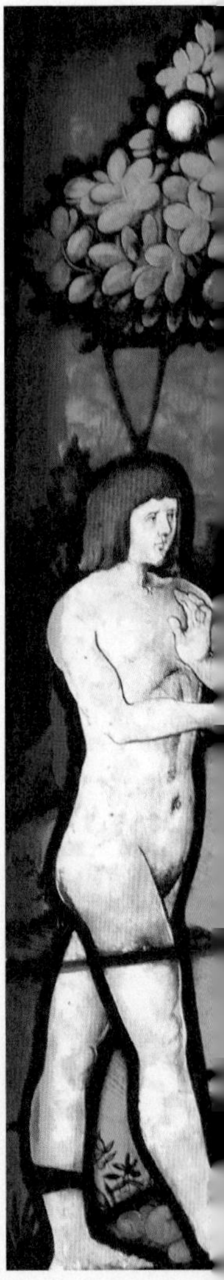

柯立芝擇偶效應理論，羅伯特·史密斯的性病狂優生學。

金賽的非陰道高潮理論，

我們主張情慾自主。

取回冷感已久的性權力，

建立全世界唯一沒有妨礙風化罪，沒有通姦罪，

沒有妓院的慾望城國。

· 背後財團：Hotel、情趣用品店、PUB、醫院

色情書店、色情光碟店、花店……

情慾國

儀典式的愛情，兩人就足以成國。

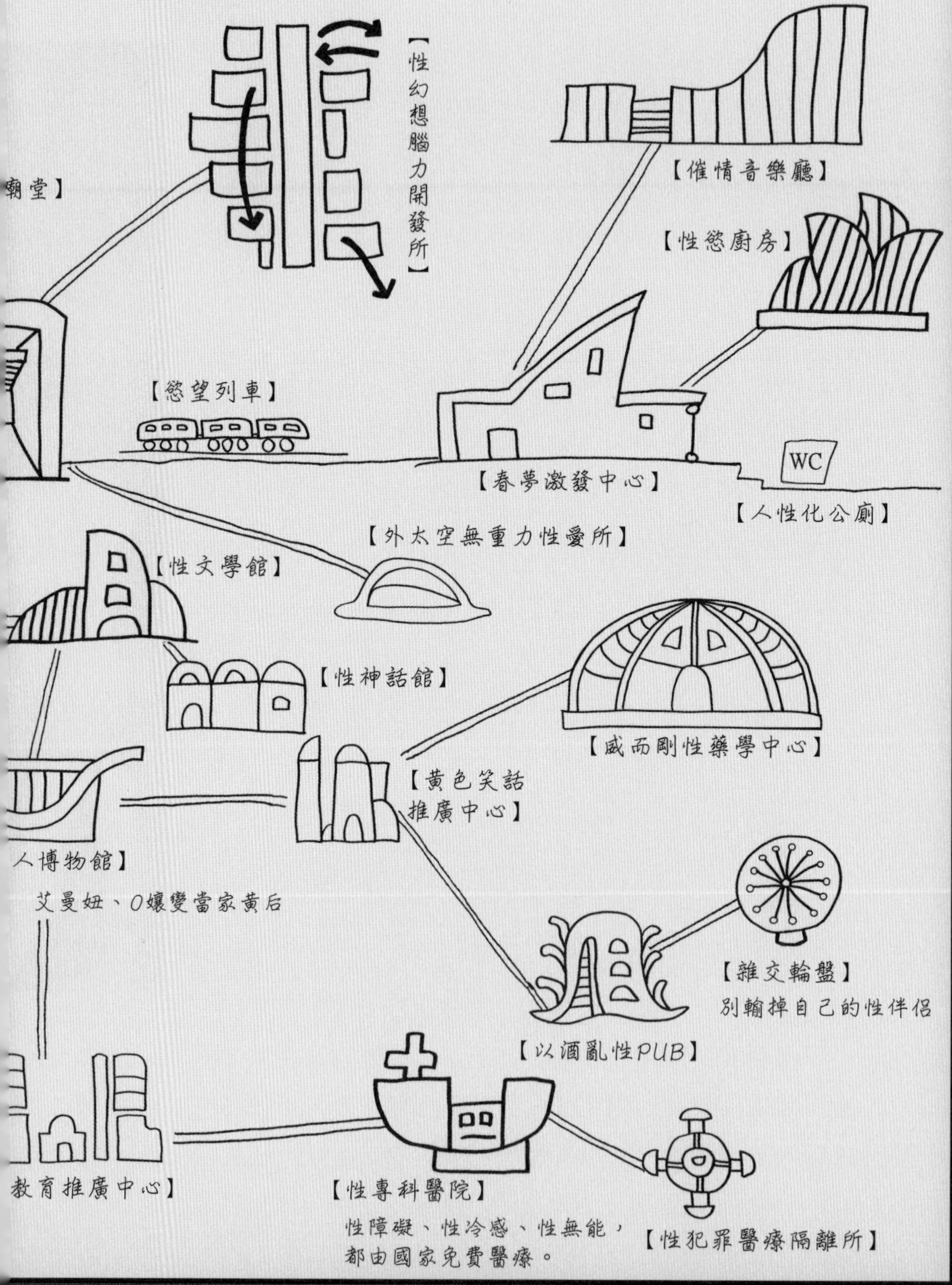

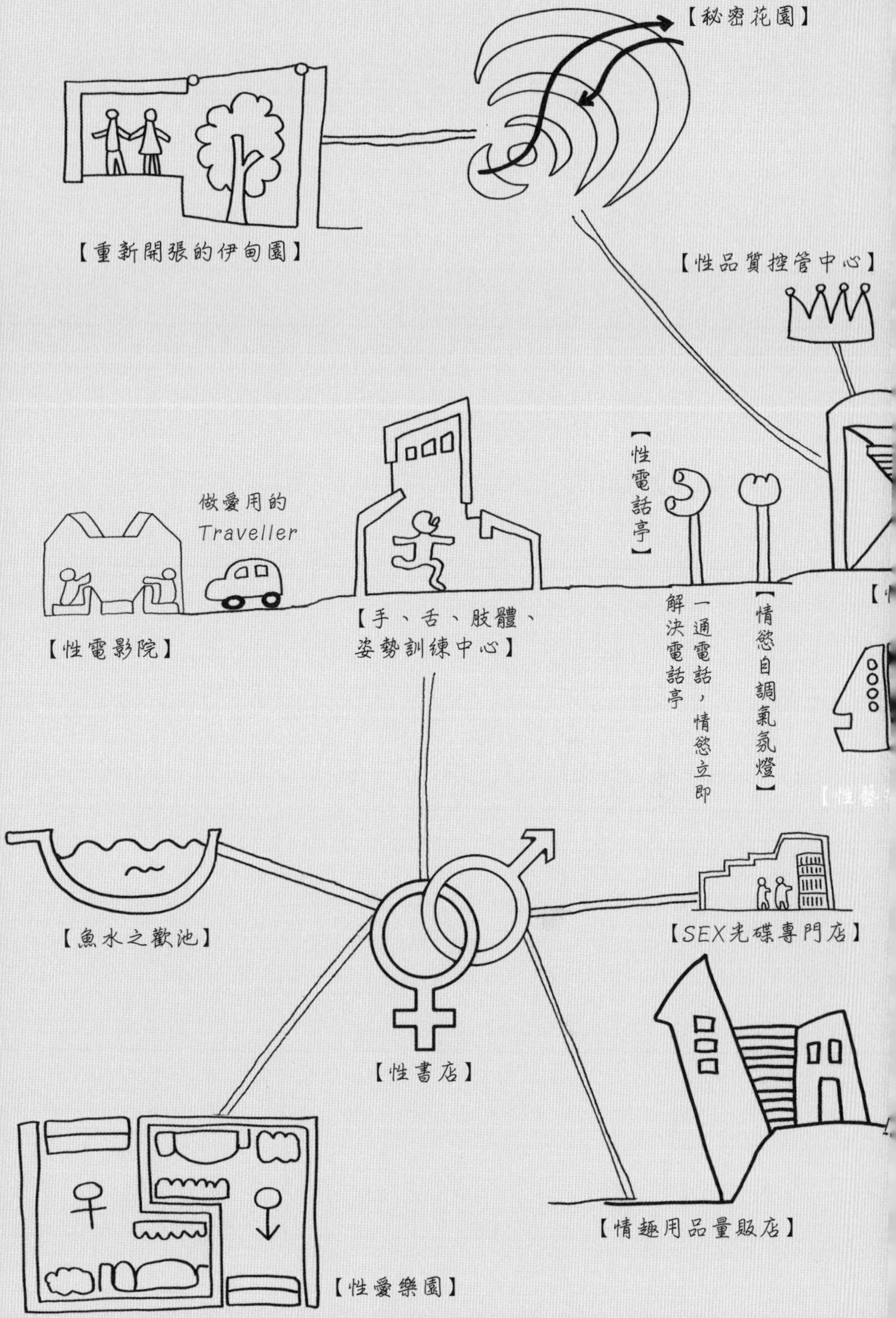
【秘密花園】
【重新開張的伊甸園】
【性品質控管中心】
【性電話亭】
做愛用的
Traveller
【性電影院】
【手、舌、肢體、
姿勢訓練中心】
一通電話，情慾立即
解決電話亭
【情慾自調氣氛燈】
【魚水之歡池】
【SEX光碟專門店】
【性書店】
【情趣用品量販店】
【性愛樂園】

許願國

老是力不從心，天不從人願，
總是徒勞無功，事與願違。
我們動用所有神話的秘方，
複製許願的稀有機會
追隨先知的魔力，

交付真誠的希望，
衷心祈禱，心誠則靈。
期待一位更高明更慷慨的上帝，
需要一個有夢成真的許願國，
讓我們從今以後，事事如願以償。

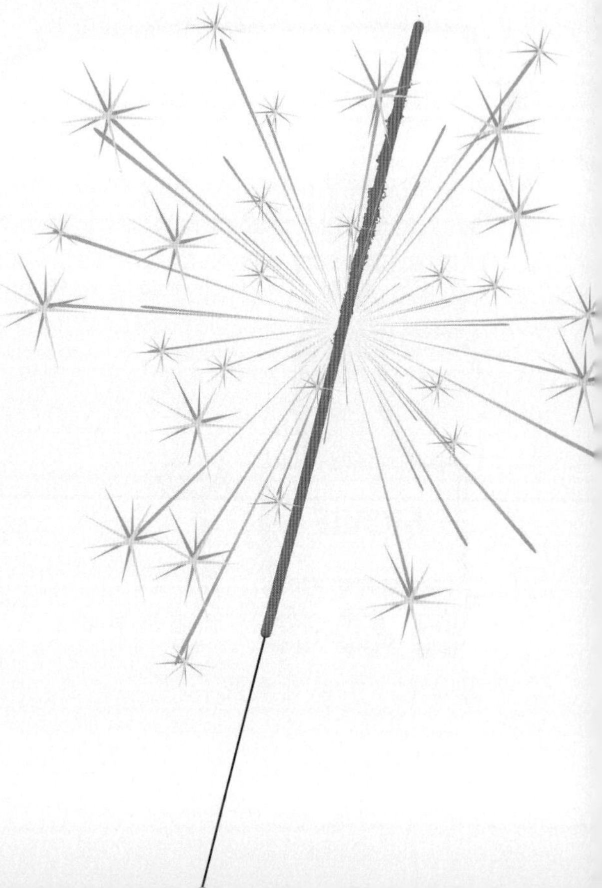

·背後財團：鑽石、金飾業的美夢成真

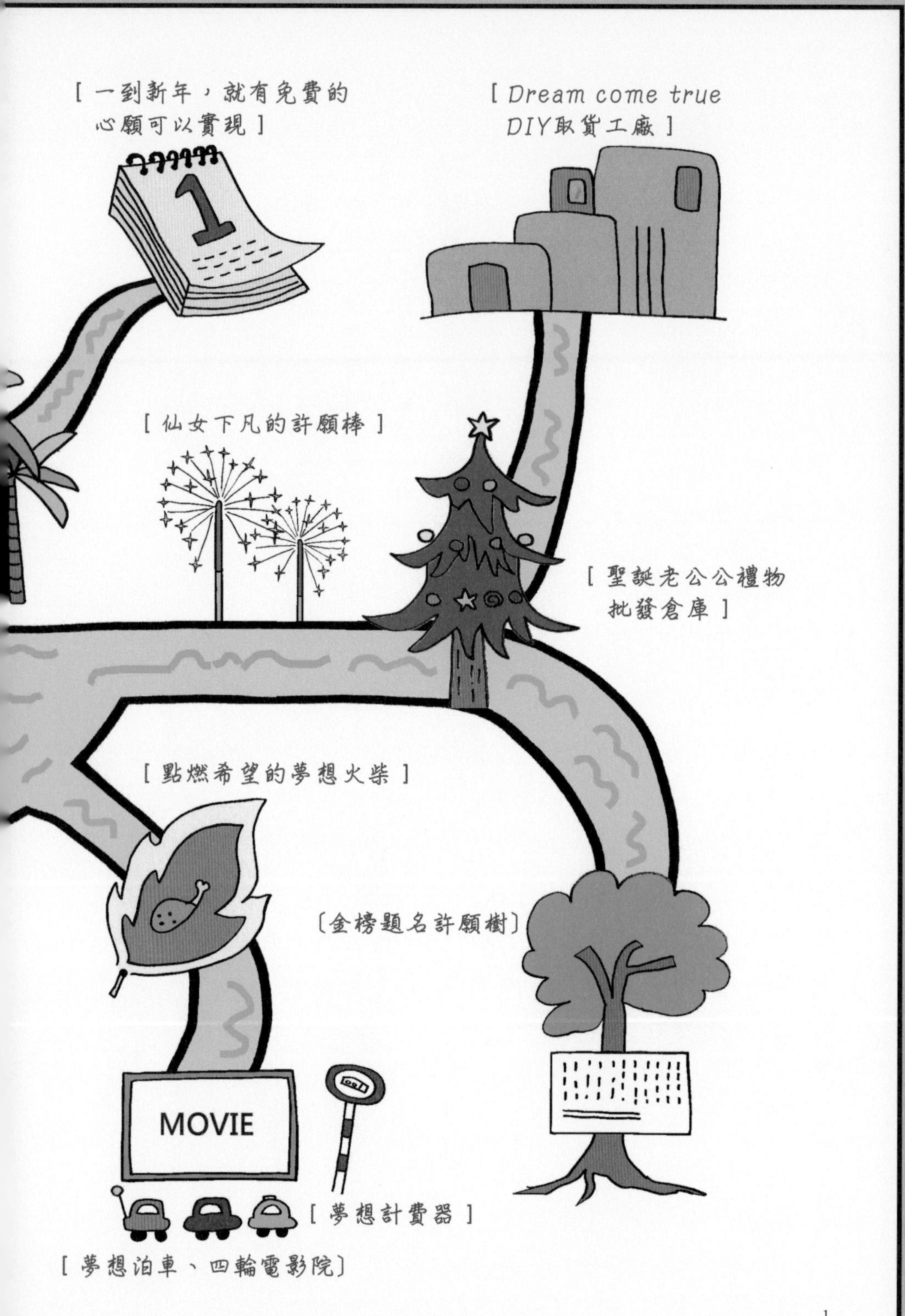
[一到新年，就有免費的
心願可以實現]
[Dream come true
DIY取貨工廠]
[仙女下凡的許願棒]
[聖誕老公公禮物
批發倉庫]
[點燃希望的夢想火柴]
〔金榜題名許願樹〕
MOVIE
[夢想計費器]
[夢想泊車、四輪電影院]

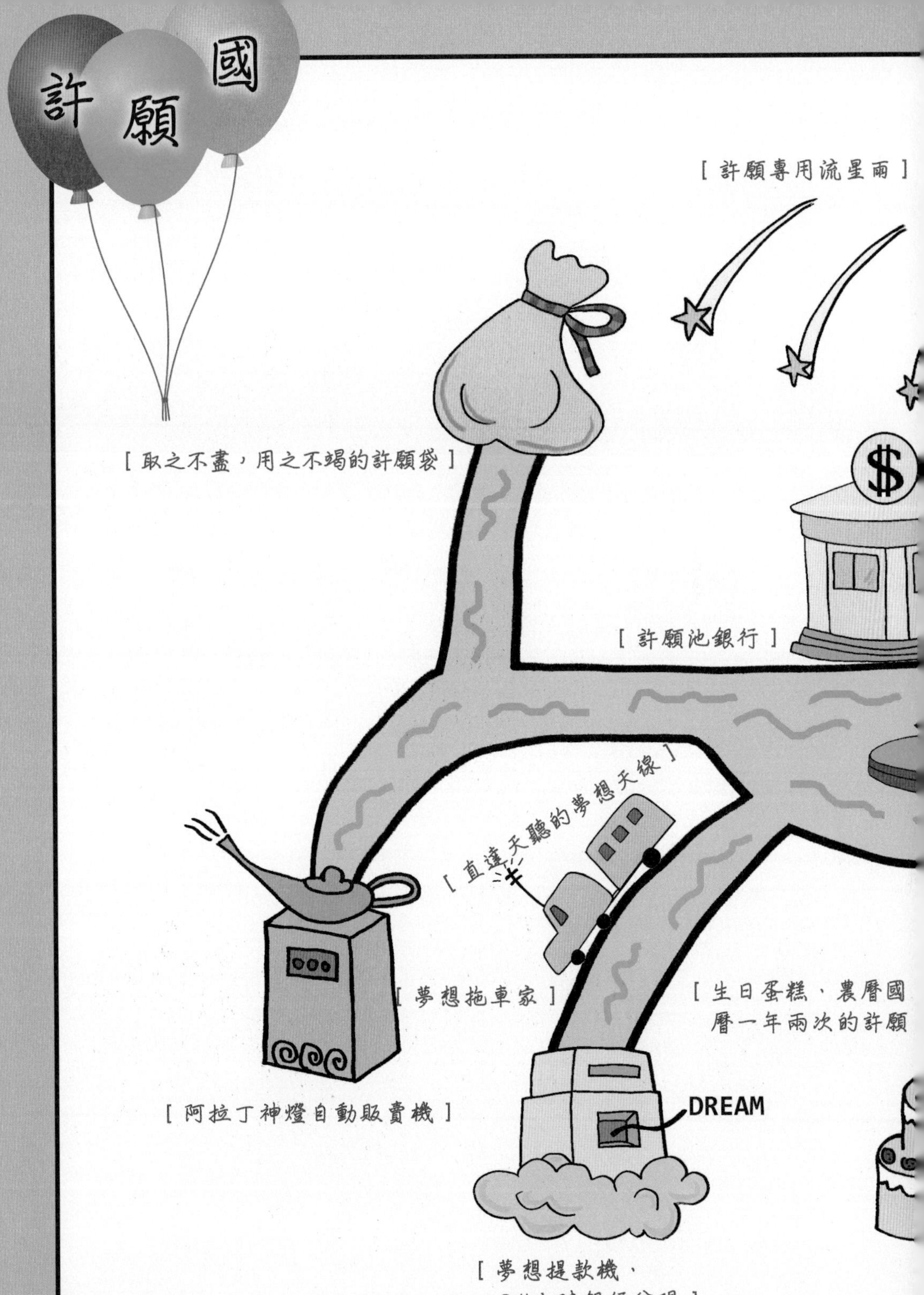
許願國
[許願專用流星雨]
[取之不盡，用之不竭的許願袋]
[許願池銀行]
[直達天聽的夢想天線]
[夢想拖車家]
[生日蛋糕、農曆國
曆一年兩次的許願
[阿拉丁神燈自動販賣機]
DREAM
[夢想提款機、
24小時銀行兌現]

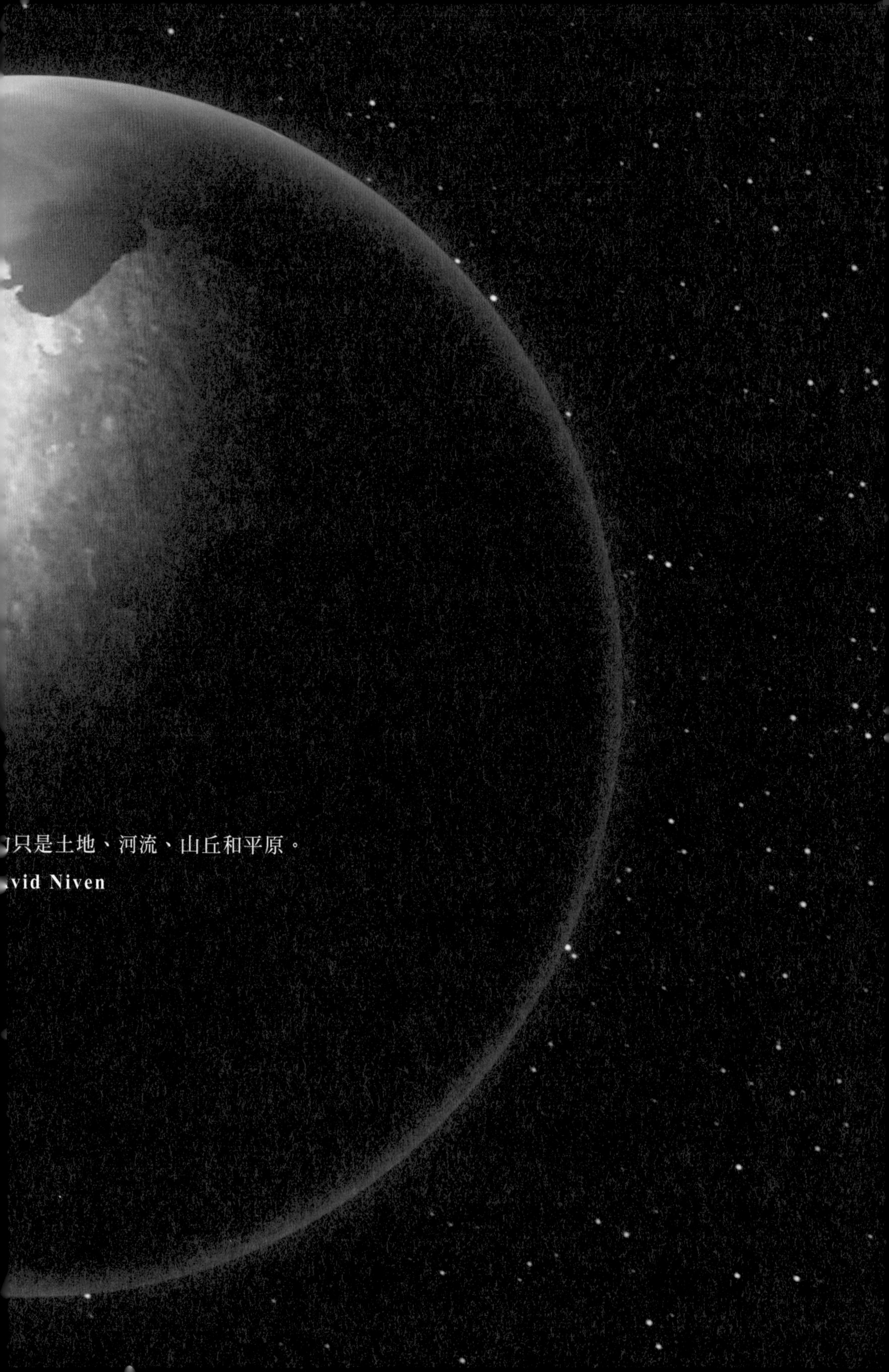
只是土地、河流、山丘和平原。
vid Niven

根本沒有國

《李欣頻的廣告四庫全書》之四：

虛擬國境

作者　李欣頻
總編輯　龐君豪
責任編輯　歐陽瑩
封面設計　曾美華
排版　菩薩蠻數位文化有限公司

發行人　曾大福
出版　暖暖書屋文化事業股份有限公司
地址　231新北市新店區德正街27巷28號
電話　02—29106069
傳真　02—29129001

總經銷　聯合發行股份有限公司
地址　231新北市新店區寶橋路235巷6弄6號2樓
電話　02—29178022
傳真　02—29158614

印刷　成陽印刷股份有限公司
出版日期　2016年10月（初版一刷）
定價　380元

國家圖書館出版品預行編目(CIP)資料

虛擬國境 / 李欣頻著. -- 初版. -- 新北市：暖暖書屋文化, 2016.10
156面；16.5x23公分. -- (李欣頻的廣告四庫全書；4)

ISBN 978-986-92424-1-7 (平裝)

1.廣告作品 2.廣告文案

497.9　　104022318

你的虛擬國境．藍圖在此：